だれでも できる 〈たのしい授業〉のすすめ方

実況★オバラシゲミの 仮説実験授業入門

小原茂巳

仮説社

はじめに

　教職志望を選択しているみなさん，そしてすでに教師の道を歩み始めているみなさん，みなさんはとても素敵な選択をしたと思います。だって，教師という仕事は，とーってもやりがいのある，夢と希望に満ちた仕事だからです。

　一方，みなさんの中には，「自分は教師としてやっていけるのだろうか」といった不安を抱いてる人も，少なからずいるのではないでしょうか。

　そういう方の力になりたくて，この本をまとめました。

　この本は，僕が 2001 年から明星大学教育学部の理科教育法で行ってきた「〈たのしい授業〉とその授業のすすめ方」についての講義をまとめたものです（詳しくは「あとがき」参照）。すでに，多くの未来の先生たち（＝教育学部の学生たち）が，この講義を参考にして〈たのしい授業〉を実践し，現在進行形で教職の道を歩んでくれています。だから，みなさんにもきっとこの本が役立つはずです。

＊

　ところで，「教師をめざそう」と決めた理由は人によってさまざまでしょう。でも，自身の学校生活のなかで何かしら楽しい思い出があって，その楽しさがキッカケになったという人が多いのではないでしょうか。

　そこで，ちょっと考えてみてください。その「何かしら楽しい思い出」のなかに，「授業の思い出」はどのくらい残っているでしょうか。

　じつは，これまでいろいろな人に聞いてみると，修学旅行や部活，あるいは文化祭や体育祭などの「みんなで力を合わせて取り組んだ感動」

といったことを話してくれる人はたくさんいるのですが,「授業で感動した思い出」を語ってくれた人はほとんどいないのです。

　教師の主な仕事は授業だというのに,これはどうしたことでしょう。

　さらに,大学を卒業して教育現場に出た青年たちの多くは,授業はもちろん,学級づくりや生活指導などについても,「大学で学んだことはあまり役立たない」という事実に直面し,驚くことになります。

　(あれ〜,どうしたらいいんだろう?)

　(う〜ん,困った,現場で学んでいくしかないのか……)

　──と,不安になるようなことを書いてきましたが,それは「これまで」の話ですから,みなさん,ダイジョウブですよ。

＊

　この本の第1章では,学校現場のいろいろな場面で応用し実践していけるように,〈たのしい授業〉の典型例とも呼べる仮説実験授業の教材(《授業書》)を紹介しながら,具体的な〈授業のすすめ方〉と〈考え方(哲学)〉を学んでもらえるようになっています。

　ところで,ここで言う〈たのしい授業〉とは,「子どもたち(学習者)が〈たのしい〉と評価する授業」のことです。そして重要なのは,そのような授業はほぼ例外なく,「授業する教師自身にとっても〈たのしい〉と思えるものだ」ということです。

　じつは僕自身,仮説実験授業の《授業書》に出会って初めて教師としてやっていく自信と希望を持つことができたのです。

　教師になりたての頃,僕の授業は子どもたちに人気がありませんでした。「つまんない」「わかんない」……このような子どもたちのつぶやきは本当に堪えました。それで,そういう自分がイヤになって,ワラをもつかむ思いで仮説実験授業をやってみることにしたのです。

　違いは歴然でした。子どもたちの方から「たのしい！」「次もたのしみにしているね！」なんて言ってくるようになったのです。

　僕はうれしくて，教室に向かうのが少しずつ楽しみになってきました。そしてこのとき，〈たのしい授業の成功体験〉の大切さを，身に沁みて実感したのです。

　そこで第2章では，学生たちにも〈たのしい授業の成功体験〉の機会を提供することを目標に，《授業書》を用いた模擬授業に挑戦してもらった様子などを紹介しています。

　学生たちが自信を失う機会になりがちな模擬授業を〈成功体験の機会〉に位置づける――これは僕にとっても大胆な〈教育実験〉のひとつでした。ですが，結果的にこの試みは大成功だったといえます。模擬授業での〈成功体験〉をきっかけに，自信と希望を抱いて教職への道を歩んでいこうとする若者たちの姿を，僕は毎年目にするようになったからです。

　本文で紹介しているのはそうした事例のごく一部ですが，この第2章の内容は，授業に悩んでいる現職の先生方にとっても，大きな意味をもつにちがいありません。

　そして第3章では，「実験」にまつわるいくつかの通説や常識を問い直しています。「生徒実験を増やせば理科嫌いは減るというのは本当か？」「そもそも実験とは何なのか？」「どのような実験であれば子どもたちに受け入れられるのか」――少し刺激が強いかもしれませんが，そういった問題を考える際にきっと役立つ内容です。

　なお，この本の多くの部分は「授業の実況中継」風に書いてあります。ですから，みなさんも一緒に授業に参加しているつもりで，気軽に読んでもらえると思います。「授業をたのしく進めるためのQ＆A」や「たのしく悩める科学の問題」も随所に出てきますので，そうした箇所は自

分なりの予想や考えを思い描きながら読み進めてみてください。

*

　ところで，この本では，一般に「仮説実験授業」として知られている内容を「〈たのしい授業〉の典型」として紹介しています。

　仮説実験授業というのは，もともとは科学教育の全面改造をめざす，「〈科学入門教育〉の理論と哲学，そしてその具体的な教材である《授業書》とその取扱い方（授業運営法）」として提出されたものです。

　すでに何度か言及した《授業書》とは，科学の基本的な概念や法則を科学者が発見した道筋にそって追体験できるように作られた「教案 兼 教科書 兼 ノート 兼 読み物」のことで，そこに書かれている指示どおりに授業をすすめれば，誰でも一定の成果が得られるように作られています。このため，仮説実験授業は〈一切のおしつけなしに感動的に学べる授業〉〈特別な教師でなくてもできる授業〉として，小中高などの学校種別や教科・学年を問わず，幅広く支持されているのです。

　そこで，授業を受けた子どもたちに喜ばれる〈たのしい授業〉をめざす人たちには，仮説実験授業を軸に紹介することがもっとも確実な道だと考えられるのです。

　また，仮説実験授業の提唱以来，じつにたくさんの追試がなされてきたのですが，その結果，それはいわゆる「理科」を改革するだけではなく，「授業（入門教育）」全体を改変する原理を含むものであることが明らかにされてきました。

　たとえば，〈たのしい授業〉という概念そのものも，仮説実験授業に由来しています。かつては，「授業に〈たのしい〉などという概念を持ち込むのは堕落だ！」といった激しい批判をうけたのです（今ではそんなこと信じられるでしょうか。でも，実際にそうだったのです！）。

　それに、「授業の評価は子どもがきめる」といったような「子ども中心主義」をつらぬく教育思想もその方法も、仮説実験授業が世界ではじめて提出したものです。仮説実験授業以前には、「授業の主役は子どもだ」とか「子どもを大切にする教育」などと謳われることがあっても、実際には「子どもには授業を適切に評価する能力がない」と見なされ、「この授業はもっと続けてほしい」「もうやめてほしい」といった子どもの声を正式な評価として尊重することは行われていなかったのです。

＊

　学校教育の姿は、近い将来、かなり変化していくことになるでしょう。小学校でもこれまでのように一人の「担任」が学級経営を行うのでなく、「教科担任制」が広がっていくことでしょう。パソコンやオンライン授業の普及も、学校のあり方に大きな変化をもたらすでしょう。

　けれども、そうした影響で「授業の姿」は変化していくとしても、その中心にいるのは子どもたち（児童・生徒・学生）と教師であることに変わりはありません。

　そして、今も、これから先もずっと、子どもたちは「ワクワクドキドキする〈たのしい授業〉」を望んでいるのです。だからこそ、そんな子どもたちの期待にこたえられる教師はシアワセ教師です。やりがいのある、夢と希望に満ちた教師生活を送ることができます。

　みなさんも、〈たのしい授業〉でもって、ぜひ〈たのしい教師入門〉をしてみてください。みなさんのお役に立てることが、僕の願いであり、喜びです。

　　＊本書にはたくさんの学生（とその感想文）が登場していますが、一部の例外
　　を除いて、登場する人物名は仮名となっています。

<h2>〔目次〕</h2>

授業書転載承認 No.210301　© 仮説実験授業研究会
（本書転載の授業書は，仮説実験授業研究会の転載承認を受けたものです）

10

〈たのしい授業〉の すすめ方

第1章　〈たのしい授業〉のすすめ方

① 問題の出し方

　僕の理科教育法の講義では，全15回ある講義の前半5〜6回は，仮説実験授業の授業書《ものとその重さ》（の第2部）を学生に体験してもらい，〈たのしい科学の授業〉（＝仮説実験授業）の運営法や〈子どもたちに気持ちよく授業参加してもらうための方法〉などを学んでもらっています。そして講義の後半数回では，学生たちに授業書《空気と水》を使った模擬授業の先生役をしてもらい，より実践的に授業の進め方を学んでもらうという計画です（学生たちによる模擬授業の様子は第2章で詳しく紹介しています）。

　講義では，できるだけ学生に問いかけ，学生たちの考えも発表してもらいながら授業しているので，これから紹介する講義の記録には学生たちの感想がたくさん登場します。これらは主に授業後に書いてもらったものですが，講義の様子が伝わるように途中途中でも紹介することにしました。

　さて，それでは理科教育法の第2回目の授業の様子から紹介していきます。みなさんも，「もしも自分が授業者だったらどうするだろうか」と考えながら先に進んでいってください（その方がよりたのしんでもらえると思います）。

　講義のはじまりー！

●授業の最初は□□から

僕は，さっそく，学生たちに次のような問いかけをしました。

> **Question Q1** これから小学校のある教室で理科の授業が始まると
> します。まずは，どんなことから授業に入るといい
> のでしょう？　僕（＝小原）だったら，さらっと□□をします。
>
> # さらっと ? ? する
>
> さて，この□□には何が入るでしょう？〔ヒント：漢字2文字〕

僕は，学生たちの席をまわりながら彼らのノートを見てまわりました。
「導入」「質問」……などの答えが書かれていました。

それでは，誰か，どうですか？

　　　　「導入ー！」「質問！」「挨拶！」「復習ー！」…

おー，どれもいいですねー。じつは僕が用意していた
答えは次のものです！

僕は，黒板の□□に「復習」という漢字を入れました。そして，次の
ような話をしました。

そうですねー。〝さらっと復習する〟のがいいですね。前回
勉強したことをさらっと復習して，これから始まる授業にス
ムーズに入れるようにしてあげたいですねー。
先生の方は，事前に「今日は何を教えようか」と準備してき
ていますが，子どもたちの方は，チャイムと共に今まさに席

についたばかりです。そこで，子どもたちには前回の
ことをさらっと振り返ってもらって，うんっ，できたら
子どもたちに，"さぁー，この続きがたのしみだなー！
今日はどんなたのしいことが待っているのかなー？"と
いう気持ちになってもらえたらうれしいですねー。

なお，復習といっても，ここに書いたように"さらっと
復習"が大切です。"さらっと"ね。しつこくなく，かつ，
今やってる勉強の内容が思い出せるようにです。

　そしてこの後，僕は前回の講義でやった内容の復習を，学生に向かっ
て実際にやってみせるというわけです。

＊　＊　＊

前回やったのは，《ものとその重さ》第2部の「木ぎれ
を水に浮かせるとその重さはどうなるでしょうか？」と
いう〔問題1〕でしたね。みなさん，覚えていますかー？

はーい！ 覚えてまーす。

〔**問題1**〕 ここに，木の切れはし（木ぎれ）があ
ります。その重さをはかったら ＿＿＿＿ gありま
した。つぎに，木のはいったいれものを，台ばか
りの上にのせたら，はかりの目もりは ＿＿＿＿ g
のところをさしました。これをそのまま台ばかり
にのせておいて，その水のなかに，さっきの木ぎ
れを浮かせたら，はかりの目もりはどうなるで
しょう。

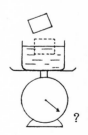

予想

　ア．木ぎれの重さだけふえる。

　イ．木ぎれをいれる前と同じで，かわらない。

　ウ．木ぎれの重さの半分くらいふえる。

　エ．木をいれる前より重さがへる。

　オ．そのほかの考え。

それでは，その実験結果はどうだったでしょうか？

木ぎれの重さが全部増えたー！　アだったー！

はいっ，よく覚えていましたねー！　すばらしい！

　学生たちには，第1回目の講義のときに，「授業体験するときは小学3年生ぐらいになったつもりでお願いしますねー！」と頼んでおいたのでした（笑）。

それから，もう一つ問題をやりましたね。
さて，この〔問題2〕の実験結果はどうだったでしょう？

〔問題2〕　いれものに水をいれて，その重さをはかったら，いれものごとで ＿＿＿＿ g ありました。これを台ばかりにのせたままで，その水のなかに石を入れたら，はかりの目もりはどうなるでしょう。この石の重さは ＿＿＿＿ g あります。

予想

　ア．ちょうど石の重さだけふえる。

　イ．石をいれる前と同じで，かわらない。

> ウ．重さはふえるが，石の重さほどはふえない。
> エ．石をいれる前よりかるくなる。

はーい，アの「石の重さだけふえる」でしたー！

> その通りですね。すばらしい！
> では，その続きの〔問題3〕をやりましょうねー！

●授業書を裏返しで配る理由

> さぁー，今日はどんな問題なのでしょうねー？
> 授業書を配るので，みなさん，授業書は裏にして後ろ
> に渡していってください。そして，裏返しのまま机の
> 上に置いて待っていてください！

　最前列の学生にその列の人数分の授業書を配り，後ろ後ろへと渡していってもらいます。そして，授業書が学生の全員に配られたのを確かめてから，僕は学生たちに次の問いかけをしました。

> **Question**
> **Q2** いま，授業書を裏返しにして配ってもらいました。
> どうして，このように裏にして配ったのでしょうか？
> 「わざわざ裏にしなくてもいいじゃないか」と思った人も含め
> て，その理由を思いついた人は答えてみませんか？

はい，プリントが裏だと「オモテにはどんなことが
書いてあるのだろう？」とワクワクした気持ちになっ
て，意欲が増すと思うからです。

なるほど，そうかもしれませんねー。いいですねー！

配られた生徒から勝手に表を開いていくと，前の方の席の生徒が，「あっ，これは予想がアだ！」「あっ，この問題，おもしろい！」などと言ってしまうことがあると思います。それだと，後ろの方の席の生徒が「それ，言うなよ！」「ずるいよ！」って感じで不満を持ってしまう気がする。だから，生徒としては裏のままで配ってもらった方がいいと思います。

それもいいですねー！ みなさんはちゃんと子どもたちの気持ちになって考えていますね。すばらしいです！ぜひ，これからもいろんな場面で子どもたちの立場になって考えるようにしていってください。

では，みなさんもこれから授業書を表にしましょう。掛け声をかけますから，みなさんも「いっせーのせ！」と言いながら表にしてくださいね（笑）。
それでは……いっせーのせ！

　大きな声を出しながら授業書をひっくり返したのは数人の学生たち
で, 他の多くの学生たちは小さな声で恥ずかしそうに「いっせーのせ…」
と口ずさんでくれたのでした。

●「読みたい人」「読んでくれる人」どっちがいいのかな？

> それでは, いよいよ〔問題3〕の中身に入りましょうね！
> さて, 誰か「この問題を読みたーい」という人はいませんか？

……誰も手を挙げてきません。

そこで僕は, 学生たちに次のような問いかけをしてみました。

Question Q3　いま僕は,「この問題, 誰か読みたい人, いませんか？」とみなさんに投げかけたのですが, 別の言い方もあります。たとえば,「誰か, 読んでくれる人, いませんかー？」という投げかけ方です（ここで, 僕は大きな字で次のように板書した）。

> **ア．誰か, 読みたい人, いませんか？**
> **イ．誰か, 読んでくれる人, いませんか？**

　さて, このアの言い方とイの言い方とでは, どちらがよいのでしょう。どちらかに○をつけてください。そして, その理由も考えてみてください。

学生たちが選んだ答えは次のように分かれました。

　　ア……3名　　イ……27名

では　まず，アを選んだ人，何か理由はありますか？

　　伊藤君（ア）「読みたい人？」という聞き方は，
「やる気のある人？」という聞き方と同じなので，
やる気がある子は手を挙げやすいと思う。それに
〈生徒のやる気〉を先生が見ることができるのも
いいと思うからです。

なるほど，そう言えるかもしれませんね。

　　五十嵐君（ア）　僕も同じで，やる気のある生徒は，
そう聞かれると，元気に手を挙げることができる
と思ったからです。積極的に授業に参加しようと
している生徒にはいいと思います。

積極的な生徒は「俺，読みたい！」って反応できるものね。
では，予想イを選んだ人はどうでしょう？

　　井上君（イ）「誰か読んでくれる人？」という
言い方は，「先生を助けてくれる人？」と同じ
感じがして，「読みたい！」と素直に言えない
生徒は手を挙げやすくなると思うからです。

なるほど，「読みたい！」と素直に表現できない生徒って
いますからねー。思春期を迎えた生徒の中には，「僕，○
○したーい！」なんてみんなの前で言うのが恥ずかしい
子がいたりしますね。そういう子は，「先生，助けてやる
よ！」って感じの方が手を挙げやすいわけですね。

上床君（イ） こういう言い方は，なんか先生から頼られているという感じがして，子どもたちはうれしいと思う。それに，この方が生徒と先生の距離が近いように感じられるからです。

 そうですか，頼られている感じがしますか。

土田君（イ） 「読んでくれる人，いませんか？」と言ってもらえた方が，迷っている子は，「だったら読んでもいいかもなー」と手を挙げやすくなると思う。

 なるほど，迷っている子には，この方が挙げやすくなる。

床井君（イ） 「読んでくれる人？」は「先生を手伝ってください」という感じでしょ。だとしたら，「じゃー，僕，手伝ってあげようか！ 読んでみようか！」というふうになって，どんな子でも手を挙げやすくなると思います（笑）

 そうか，どんな子でも手を挙げやすくなるねー。なるほどね。すばらしい。

中川君（イ） 自分から進んで読みたい子もいるし，読もうかどうか迷っている子もいる。自分から進んで読みたい子にとっては，アの「読みたい人はいませんか？」でもいいし，イの「読んでくれる人，いませんか？」でもどちらでもいい。でも，迷っている子には，アの聞き方はちょっとキツイと思う。だとしたら，両方の子どもたちに対応できるイの方がいいと思います。

みなさんのどの考えもすばらしいですねー。どれも〈生徒の視点〉に立って考えたものばかりで，僕が感じていることと同じ…いや，それ以上かな（笑）。だから，もうこれ以上付け足すことはないのですが，講義ノート（授業用メモ）にある板倉聖宣さんのお話だけ紹介しておきます。

講義ノート　「読んでくれる人？」というのと「読みたい人？」という表現とは全然違います。よく「読みたい人？」という言い方をする人がいますが，これでは，ほとんど読んでくれません。「読んでくれる人？」と言えばいくらでもいると思います。それにずっと気がつかないで授業をしていてシラケちゃうことがあるのではないかと思います。「読みたい人？」という言い方だと，相当積極的じゃないと立候補しないと思います。
（小原茂巳「僕の〈授業原理〉」『たのしい授業』1989 年11 月号，No.82，より）

この話を聞いた時，板倉先生の指摘にとても合点がいったと同時に，なんかあったかいものを胸の内に感じました。「やっぱり仮説実験授業をやっててよかったー。この授業は，徹底的に子どもを大切にする授業だもんなー。だとしたら，こういう言葉の問題も大切にしたいよなー！」って。

学生の感想――

・「読みたい人？」と「読んでくれる人？」という聞き方は，一見大差ないように思うけど，どっちになるかで子どもたちにとっては大違いで，大切だなぁと感じました。たしかに，読みたいけど手を挙げるのが恥ず

かしかったり，嫌ではないけど手を挙げるほどではないような子どもたちには，「読んでくれる人？」と聞いた方が効果的ですね！「先生」という仕事は，一言一言に気を配ったり，小さな行動に気を配ったり，とても細やかだなと感じました。でも，小原先生は，それもとてもたのしんでいるように見え，すごいなと思います。（岩下さん）

●問題文を読んでもらうとき，気をつけたいこと

> **Question**
> **Q4** ところで，授業書の「問題」や「お話」を子どもたちに読んでもらうときに，教師が気をつけなければいけないことはなんでしょう？

この質問は漠然としていたせいか，質問の意図が学生たちにうまく伝わらなかったようです。学生たちはしばらくキョトンとしていました（ごめんなさーい！）。

そこで，僕は次のように聞き直しました。

これから僕が，みなさん一人一人に順番に授業書を読んでもらうとします。そのとき，生徒であるみなさんは，先生にどんな配慮をしてほしいと思いますか？ どうでしょう？

はーい，読めない漢字を教えてほしいでーす！

　それを聞いたまわりの学生たちも，「そうだよ，そうっ！」って感じ
でうなずいてきました。僕も思わず一緒にうなずきながら，学生たちに
次のような話をしました。

> そうですよねー。僕も子どもだったときに，先生が順番
> に指名し始めたときは，「あー，俺はどの辺を読ませられ
> るのだろう……。そこに読めない漢字がないだろうか，
> 漢字読めないとかっこ悪いもんなー」などとソワソワし
> てきて，もー，友だちや先生の声に耳を傾けるどころじゃ
> なかったですものねー。

> そういう経験から言うと，子どもたちに読んでもらうと
> きは，ちょっとでも読みにくそうな漢字や文章が出てき
> たら，何気にすばやくスッと読んであげちゃうのがいい
> でしょうね。サラッと手伝ってあげる。そうすると，子
> どもたちはどれほど安心することか…。ましてや，自分
> から進んで「読んでもいい」なんて言ってきた子には，
> 余計な心配をすることなく読んでもらいたいですねー。

学生の感想───

・私はプリントや教科書を読むのは嫌ではないけれど，漢字が読めない

ことが多いので，いつも当てられるまで読まなかった気がします。でも，"先生が助けてくれる"という安心感，信頼関係が築けていれば，もっと読んでくれる子も増えるんじゃないかなと思います。小原先生の授業だと，私だって読んでもいいと思ってますもの（笑）。（網中さん）

> それでは，授業書《ものとその重さ》の世界に戻りましょうか！〔問題3〕でしたね。
> では改めて，"誰か，読んでくれる人"いませんか？

　すると，今度は，5名の学生が元気に「ハイッ！」「ハイッ！」…と挙手してきました。このとき，教室中に笑いが起こりました。ニコニコしたあったかい笑いでした。僕もうれしくなって，「おーっ，うれしいですねー！　すばらしいですねー！」と答え，一番元気に返事してくれた男子学生を指名したのでした。

〔**問題3**〕　はじめに，水をいれたいれものと角砂糖4ことを，てんびんの一方のさらにのせ，もう一方にはおもりをのせてつりあわせておきます。そこで，つぎに角砂糖を水の中に入れてよくかきまぜてとかし，もう一度，てんびんにのせることにします。そのとき，てんびんはどうなるでしょう。

予想　砂糖をとかした方は……

　ア．かるくなってあがる。

　イ．重くなって下がる。

　ウ．つりあったまま動かない。

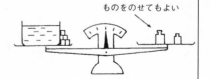

ものをのせてもよい

討論　どうしてそう思いますか。みんなの予想をだしあって討論しましょう。

そして，学生が読み終えた後，僕は教室のみんなに向かってこうたずねました。

どうですか，問題の意味がわかりましたか？　1回読んだだけでは，その意味がよくわからないのはフツーだと思ってくださいね。文章を理解するって大変なことですからねー。
そこで，先生の出番なんです。先生が，教室のすべての子どもたちに問題の意味が通じるように説明してあげればいいのですね。そういうわけで，次の Question 5 を考えてみることにしましょう。

Question Q5 〔問題〕の意味を，子どもたち全員にわかりやすく，きちんと伝えるにはどうしたらいいでしょう。
あるいは，イメージをもって理解してもらえるようにするにはどうしたらいいのでしょう？

問題文をもう一度，先生がゆっくり読み直す！
実験道具を見せたり，黒板に図を描いて説明する！

どれもいいですねー！　実験器具など実物を示し，目に見えるようにして説明してあげるとわかりやすいですねー。
それから，もう1つ大切なことは〈実験寸前までやってみせる〉ということです！　実験結果の出る寸前でストップして説明すれば，「あー，そうか，この実験はこういうことがハッキリすればいいのか！」ということが誰にでもイメージできるようになりますからね。

ここで，実際に僕がもう一度〔問題3〕を声に出して読み進めました。

途中で，「"てんびん"って，これのことですよ！」「角砂糖は今，なかなか手に入らないので，今回はこのスティックシュガーを使いますね」「まずは，このスティックシュガーと水の入ったビーカーを，このてんびんの左の皿にのせます」「そして，右には分銅ね」…などと，実際に一つ一つ実物を示しながら説明していきました。そして，最後は，砂糖（スティックシュガー）を実際にビーカーの中の水に溶かして，実験寸前のところまでやってみせたのでした。

さぁー，この砂糖の溶けた水を，もう一度，このてんびんにのせると，てんびんはどうなるでしょう？　てんびんがガタッと右に傾いて，左の皿が上にあがったら，予想アの「砂糖をとかした方がかるくなってあがる」が正解ということになります。いや，そうではなくて，てんびんが左に傾いたら……さぁー，実際は，このてんびんはどうなるのでしょう？　みなさん，予想してみてください。

どうですか，問題の意味，みなさんにちゃんと伝わりましたか？　まだイメージできない人は遠慮なく手を挙げてくださいね。もう一度，説明しますからね。

学生たちは，ニコニコと顔を上下させて，「だいじょうぶですよ，理

解できましたよ！」というサインを僕に送ってくれました。

＊

このあとの授業の様子は省略しますが，〔問題３〕の学生たちの予想分布は，

ア……７名　　イ……０名　　ウ……23名

で，実験結果はウ「てんびんはつりあったまま動かない」になったのでした。

学生の感想──

・正直，プリントを読んでもらうときのセリフなんて何でもいいと思っていました。しかし，今日の講義で，「言葉の使い方ひとつで生徒の読みたい意欲が大きく変わっていくものなのだ」と考えさせられました。また，問題の意味を分かりやすく伝えるために，説明を実験寸前まで行うということも，たしかにイメージしやすく予想も立てやすいと思いました。ところで，先生の講義を受けているうちに，僕は模擬授業の先生役をやってみたくなりました。かなり恐いのですが，これは僕にとって大きな変化です。（仁田君）

・今日の授業では，〝子どもたちの想い〟について学べました。教師の言い方・やり方ひとつで，伝わり方も全然違うことに気づかされました。子どもたちのなかには，本当は読みたいけどあと一歩前に進めなかったり，問題の意味が理解できずに予想が立てられないでいることがあるなど，子どもたちの心理状態を知ることができてよかったです。教師は，「教える」だけじゃなくて，子どもたちのことを「想像する」「考える」ことも大切なんだな，と改めて感じることができました。（中川君）

② 予想のたずね方

　この日も前回の授業の復習から入り，授業書《ものとその重さ》第 2
部の続きの〔問題 4 〕〔問題 5 〕をやりました。

　まずは〔問題 4 〕です。

　〔問題 4 〕　いれものに水を入れて，その重さをはかったら 200 g あ
　りました。その水に 20 g の食塩を入れて，よくかきまぜて全部とか
　したら，食塩水の重さはどうなるでしょう。

　　予想　＿＿＿＿＿ g ぐらいになると思う。

　　討論　みんなの予想を出しあって討論しましょう。

　ここでは，教室の学生全員が「220 g 」と予想し，討論も予想変更も
なし。そこで，すぐに実験をしました。

　実験の結果は「220 g 」。

　学生たちは実験の結果を知って，ニコニコ笑顔。〈予想が当たる喜び〉
を体験してもらえたようです。

　さて，次は，〔問題 5 〕です。

　〔**問題 5** 〕　ここに 2 つの透明な液体，アルコールと食塩水がありま

す。この2つをまぜると，まぜた液の中に，白っぽいものができて底にしずみます。いま，2つの液体をまぜるまえにそれぞれ重さをはかったら，アルコールが70 g，食塩水が80 gでした。それでは，2つの液体をまぜたら重さはどうなるでしょうか。

予想　2つの重さを加えたもの150 gとくらべて……

　　ア．それより重くなる。

　　イ．ちょうどその重さになる。

　　ウ．その重さより軽くなる。

討論と実験　みんなのを考えを出しあってから実験してみましょう。

それでは，予想してみてください。ア，イ，ウのどれでしょう？　どれか一つに○をつけてください。

●予想を立ててもらうときの配慮

さて，〔問題5〕の予想を聞く前に，みなさんにはちょっと〈先生の立場〉に立ってもらいますね。自分が先生になったつもりで，次のQuestion 6を考えてみてください。

> **Question**
> **Q6**　子どもたちに予想を立ててもらうとき，配慮した方がいいこととして，どんなことが考えられるでしょうか。もしも，あなたが先生ならどんな配慮をしますか？

すると，学生たちは次のように答えてくれました。

「予想は間違えていいんだよ。間違えても恥ずかしくないんだよ。だから，安心して予想してね」ということを言ってあげる。

なるほど。それ，いいねー。

「予想といっても，なんとなく立った予想でもいいんだよ」と言ってあげたい。

ちゃんとした理由がなくても予想していいってこと？「なんとなくそんな気がするんだよなー」の予想でもいいってこと？

そうでーす。私自身がそう言ってもらえると，ほっとするからでーす（笑）

なるほどね。子どもたちもきっとほっとするでしょうねー。じつは僕が予想してもらうときに配慮していることも，いま二人の人が言ってくれたのと同じような内容です。

　ここで僕は，講義ノートの「予想を立ててもらうときに配慮すること」というページを声を出して読みあげました。

> **講義ノート**　仮説実験授業でいう「予想」というのは，「**科学的認識は，対象に対して目的意識的に問いかけるという意味における実験を通してのみ成立する**」という考え方が基本にあります。だから，予想を立てる段階というのは，すごく大切にしてあげてください。こういう授業を数時間体験した子どもたちの感想文の中に，「予想

を立てると自分の考えがよくわかる」「他の考え（予想）にも興味がわくし，実験がたのしみになる」というものが出てきます。だから，予想はどうしても立ててもらってください。その方が，子どもたちは授業をたのしく受けることができるからです。

　それでは，予想を立ててもらうときにどういうことに配慮するといいかというと……

①「予想なんだから間違ってもいいよ」「テストじゃないからね」「新しいことを学ぶんだから間違えて当たり前だからね」などと，緊張感や恐怖感を取り除くためのセリフを言ってあげるといいでしょう。

②全員が自分で予想を選ぶ（選択支に○をつける）まで待ってあげましょう。このとき，「まだ予想を選んでない生徒はいるか」という言い方は×です。威張っちゃー，ダメですね。「もう少し時間が欲しい人いますか？」というような言い方をしましょう。同じことを言っているようでも，全然違います。それでも，どうしても予想が立てることができない生徒がいたら，次のように言ってあげるのはどうかな。「とりあえずでいいんだよ。"なんとなく"でもいいしね…」「どうしても今無理なら，後でもいいよ。友だちの意見を聞いてからでもいいしね。できたら実験の前には予想が立てられるといいね」

●予想をたずねるときに気をつけたいこと

それでは，いよいよみなさんに〔問題5〕の予想をたずねます。では，手を挙げてもらいますね……
あっ，ゴメンなさい！ 手を挙げてもらう前にもう一つ Question がありましたので，これに付き合ってください。

Question Q7 子どもたちに予想の挙手をしてもらうとき，どのようなことを大切にしたらいいのでしょう？ たとえば，あなたが先生なら，子どもたちにどうたずねますか？

はいっ，小原先生は僕たちに予想をたずねるとき，いつも「アの人，どうぞ!!」と元気に大きな声を出すので，そういう聞き方がいいと思います。それだと，つい，こっちも思わず手を挙げてしまうからです（笑）

そうか！ 僕の魂胆，見破られていましたかー！（笑）
実際，僕は，子どもたちや学生のみなさんにぜひぜひ予想を立ててもらいたいと思っているからね。予想さえ立てれば，討論のときに友だちの考えにも興味が持てるし，実験のときもドキドキするし，授業に集中できるようになる。だから，このときだけは僕も頑張って「アの人，どうぞ!!」と大きな声を出すことにしています（笑）

はいっ！ 最初，僕は，予想で手を挙げてしまうと
そのすぐ後に先生に，「じゃー，あなたの考えを言っ
てごらん！」と無理矢理言わされることを心配し
ていました。でも，小原先生の場合は，その心配
は必要ありませんでした（笑）。だから，つまり，
無理やり発言を強要されるような心配はしなくて
いいんだよ」と教えてあげたいと思いました。

子どもたちにしてみたら，予想で挙手しただけなのに，発言
まで強要されるなんて，たまらないよね。そういう心配は取
り除いてあげたいね。押しつけは排除しなくちゃーね。

予想の人数を数えるときですが，生徒一人一人を
見て，ちゃんと数えるのがいいと思います。

おーっ，その通りですよ！　よく気がつきましたね。
すばらしい！　子どもたちはドキドキしながらも勇気
を持って自分の予想（考え）を挙手で示しています。
だから，先生は，子どもたちそれぞれの目を見てしっ
かりと数えてあげてほしいですね。

学生の感想──

・手を挙げてもらって数えるとき，一人一人の目を見て数えるというの
は，すごく小さなことだけど，すごく大切なことだと思いました。意見
をなかなか言えなくても，この先生には自分の頑張りが届いている，分
かってもらえていると感じることができるだけで，先生のことも信頼で
きるし，勉強も頑張ろうと思うはずです。積極的な子どもだけでなく，
静かに頑張っている子どもたちにも〝頑張ったね〟と伝えられる「先生」
は素敵だと思いました。（岩下さん）

・私自身，人の目を見るのが苦手です。でも，この授業を受けていると，小原先生は一人一人の顔を見ていて，必ず一回は先生と目が合っている気がします。すると，見てもらっていることが「嬉しい」と思っている自分がいました。なので，私も子どもたちの前に立ったら，一人一人の目を見るようにしたいと思いました。（長沢さん）

●予想分布の人数が合わないとき

それでは，お待たせ〜！ 今度こそ，みなさんの予想をたずねますね。みなさん，〔問題4〕の予想はもう立ちましたか？ まだ時間のほしい人はいませんか？

学生たちに予想をたずね，予想分布を黒板に大きく書きました。そして，学生たちに次のQuestion 8をたずねました。

予想分布
ア ……… 4名
イ …… 25名
ウ ……… 1名

Question Q8 子どもたちに予想をたずねて，もしも人数がそろわなかったらどうしたらいいでしょう？ もしかすると，誰か挙手していない生徒がいるのかもしれません。さて，こんなとき，あなたが先生だとしたらどうしますか？

すぐに「誰だ，手を挙げていないのは！」と怒るのはよくないと思います（笑）

そうですね。では，どうしたらいいのでしょう？

どれに予想するか悩んでいる子がいるかもしれないので，もう少し時間をあげて，その後に，

もう一回挙手してもらうといいと思います。

なるほどね。

僕なら,「もう一回数えるね。だから, もう一回手を挙げてね。みんな,今こそ チャレンジだ!」と励ます(笑)

おーっ,チャレンジかー! おもしろいね(笑)。 でも,こういうときは,まずは先生自身が次のことを チェックしてくださいね。さっきの Question 7 のときも 言ったけれど,まずは「先生がちゃんと子どもたちの目 を見て,しっかり人数を数えたか?」つまり,「先生の数 え間違いはないか?」ということね。よくある数え間違 いは,先生が動かずに黒板の前の一箇所に立って数えて いる時に起こります。自分から動いていって,それぞれ 列の前に立って,ちゃんと列ごとに子どもたちの目を見 て数えてあげましょう。「おー,よく手を挙げたね。えら いね。すばらしい!」って感じで,目を見て人数を数え ていく。そうすると,人数の数え間違いは避けられます。

その次ですね,「それでも,人数が合わないときはどう するか」という問題を考えるのは。とりあえず,もう一 度挙手してもらって数え直しましょう。それでも人数が そろわなかったなら……これは,もうアキラメましょう (笑)。それ以上繰り返すと,人間関係が危うくなります からね。さらっと先に進みましょう。

学生の感想──

・先生の授業は，実際に子どもたちの前に立って授業をするときにぶつかりそうな問題を考える時間があるので，とても嬉しいです。今日の授業も，〈予想分布の人数がクラスの人数と合わないとき，どういう態度で教師は臨めばよいのか〉は，叱ってはいけないことは分かっていても，「ではどうすればよいのか」ということまではわかっていませんでした。そのようなことを，今の時点で考えることができ，また，友だちの考えも聞くことができて，本当に良い機会になりました。（千葉さん）

●予想分布を板書するとき

> **Question**
> **Q9** 予想分布は，教室のみなさんにはっきり見えるように大きく板書した方がいいのでしょうか，それともそんな必要はないでしょうか？ その理由は？

では，まずは「大きく書いた方がいいと思う人」，手を挙げてください！

全員が手を挙げました。

そうですか。では，「その方がいい」という理由を誰か教えてください。

予想分布の数を見て，自分が授業にちゃんと
参加しているような気がするからです。

なるほどね。

自分が少数派なのか多数派なのかがパッと分かって，少
数派だと緊張して頑張る気になれるし，多数派だと安心
して余裕で授業に参加できるからだと思います（笑）

そうかー，自分の社会的位置がパッとわかるものね。
それで，張り切っちゃうということね。

自分の状況を知ることによって，自分の考えに自信を
持ったりすることができるからです。それに先生にとっ
て，子どもたちがどのような予想分布になるかを知るこ
とができるからじゃないですか。

予想分布を知ると，たとえ自分の予想がはずれても
「自分だけじゃないやー」と思って安心するし，授業
に積極的に参加することができるからです。

なるほど。みなさん，どうもありがとうね。いま発表して
くれたみたいに，子どもたちにしても予想分布はちゃんと
見える方がうれしいみたいです。みなさんが，やがて模擬
授業をするときも，しっかり大きく書いてくださいね。

　この日の学生たちへの質問はここまでにしました（なお，授業の方は
このあと討論から実験へと進み，実験結果は，イ「ちょうどその重さになる」
を示したのでした）。

学生の感想——

・先生の少しの知恵と配慮で，子どもたちが気持ちよく授業に参加できるということを学びました。いまも何気なくこの講義の時間を過ごしているけれど，先生のちょっとした知恵と気遣いがあるから，私たちは気持ちよく，安心して授業を受けていられるのだと思いました。(網中さん)

・予想を立てるときの気の配り方や，手を挙げてもらったときの対応など，参考になることが多くて勉強になります。「私も実践してみたい」と思う情報が多く学べるこの授業が，どの授業より好きです。(渥美さん)

●そもそも予想するに値する問題なのか？

　予想を立ててもらうときの配慮をいくつか書いてきましたが，その大前提として，〈そもそも予想するに値する問題なのかどうか〉ということには触れておく必要があります。

　「この実験結果はどうなるのだろう？　早くホントのことを知りたいなー！　ワクワクするなー！」などと，学ぶ側にとって〈予想しがいのあるもの〉なのかどうか。もしも，学ぶ側にとって〈予想しがいのないもの〉だとしたら，先生にどのような配慮をしてもらったとしても，自分からすすんで予想する気にはなれないでしょう。

　仮説実験授業に出会った学生の感想文に，しばしば，「予想するってこんなにたのしいことだったんだー！」というものがあります。〈予想するたのしさ〉に感激しているのです。「小・中学生のときにも，理科の授業でしばしば予想を立てさせられたのに，こんなふうにはたのしくなかった（苦痛でさえあった）」というのです。

　〈仮説実験授業の予想〉と〈教科書のフツーの授業の予想〉とでは何が違うというのでしょう。なぜ，仮説実験授業を受けた子どもたちは〈予想〉がたのしくてたまらないのか。一体どうしてなのでしょう。

　それは，仮説実験授業の場合，〈（自分で）予想したくなるような問題〉だけ，子どもたちに提供しているからなのです。そして，それらの問題群に対して「予想→実験」を繰り返していくうちに，自分の中である〈仮説〉が立ってきます。そして，最終的にドンピシャリと正しい予想が立てれるようになるのです。つまり，予想しがいのある体験ができているので，予想することがたのしくてたまらなくなるというわけです。だから，ぜひ子どもたちには授業書でもって〈予想することのスバラシサとたのしさ〉を体験させてあげたいですね。

第1章 〈たのしい授業〉のすすめ方

③ 理由のたずね方

この日も，授業書《ものとその重さ》第2部の続きです。

まずは，〔問題6‐1〕です。

〔**問題6‐1**〕 はじめに，2つのメスシリンダーと，アルコールと水を用意します。アルコール50 ㎤ の中へ水50 ㎤ をそそぎいれたら，あわせた体積はどうなるでしょう。

〔＊1 ㎤ 以下の誤差はがまんする〕

予想

　ア．ちょうど100 ㎤ ぐらいになる。

　イ．100 ㎤ より多くなると思う。

　ウ．100 ㎤ よりも少なくなると思う。

　エ．まったく予想がたたない。

討論 みんなの予想を出しあってから実験しましょう。

学生たちの予想は右のように分かれました。

予想分布を板書した後は，学生たちに予想の理由を発表してもらうのですが，その前に僕は学生たちに次のような質問をしてみました。

予想分布
ア …… 29名
イ ……… 0名
ウ ……… 1名
エ ……… 0名

> **Question**
> **Q10** これから，それぞれの予想の子どもたち数名ずつに
> 予想を選んだ理由を発表してもらおうと思います。
> そのとき，どういう順番で発表してもらうのがいいのでしょう。
>
> ①……ア→イ→ウの順
> ②……多数派からたずねる
> ③……少数派からたずねる。
>
> また，その理由も考えてみてください。

●理由をたずねるときの配慮

　学生たちのほとんどが，「③…少数派からたずねる」を選びました。残りの①と③はほんの数名ずつです。これは，これまでの授業で僕が理由発表のときに〈少数派からたずねていたこと〉が影響しているのかもしれません。

　まずは，①（ア→イ→ウの順）を選んだ学生から理由をたずねてみました。

> ②と③どちらがいいか迷ったのですが，結論が出ず，
> なんとなく①がいいのではないかな…と思いました。
> それに，なんかこれが一番自然なような気がしました。

> はい，どうもね。では次に，②（多数派からたずねる）
> を選んだ人，誰かその理由を教えてくれませんか。

　滝田君　最初だと，少数派は言いづらいと思う。
反対に，仲間の多い多数派の方が理由を言いやすいはず。それで僕は②を選びました。

瀧澤君　最初に多数派の人に理由を発表して
もらって，その流れでもって，次に少数派に
いくと発表しやすくなると思いました。

なるほど。そうですか。
では次に，③（少数派からたずねる）を選んだ人，
誰かその理由を発表してみてください。

　　鳥潟君　多数派が流れを作ると，少数派はかえっ
て言いづらくなると思います。だから僕は，少数
派からの方がいいのではないかと思いました。

　このとき，すぐ前に②の理由を発表したばかりの滝田君と瀧澤君が
「たしかに〜！　それ，言える〜！」などとつぶやいています。

　　山下さん　私も，最初に多数派の人が理由を発表
すると，まわりが「そうだ！　そうだ！」と盛り上
がって，その雰囲気で，ますます少数派の人は理
由を発表しにくくなりそうな気がします。だから，
少数派からの方がいいかなーと思いました。

　またまた，滝田君と瀧澤君が，「それ，言える〜！」「たしかに〜！」
と吠えています。教室の学生たちがニコニコ笑っています。

なるほどね。みなさんの理由はどれも〈子どもたち
の視点〉に立っていて，すばらしいですねー！

　ここで，僕は講義ノートの「理由の発表のときに注意すること」とい
うページを開き，声を出して読みあげました。

講義ノート　「理由の発表」は，それぞれの予想の子どもたち，数名ずつを指名して行ってもらうといいでしょう。そして，その順番は，フツーは〈少数派〉から聞いてあげるといいでしょう。その理由は，多数派から理由を言ってもらっていくと，少数派の人たちはますます心細くなって理由が言いにくくなってしまうからです。

　ただ，クラスの雰囲気とか，それまでの歴史とかによっては，多数派から言ってもらった方がいいこともあります。たとえば，クラスの雰囲気によっては多数派がいばって，「少数派，理由を言え～！」（笑）なんて雰囲気になってしまうことがあります。すると，ますます少数派が言いづらくなってしまうので，そういう雰囲気のときには，かえって多数派から言ってもらった方がいいこともあります。

学生の感想──

・授業をするときの配慮事項を学ぶと，いつも，「あー，なるほどな。私もそれでやってみたいな」と思います。今日の授業でも，「実験の予想を聞くときは少数派から聞く」は，「なるほど，そうだなー。これ，いいなー！」と思いました。そして，一度それを自分でやってみないと忘れそうだし，自分のものにならないような気がしてしまうので，私もいつか模擬授業を実践してみたくなりました。（千葉さん）

●どんな理由でも認めてあげることが大事

> **Question**
> **Q11** 予想の理由は，教師が生徒を指名して発表してもら
> うのですが，そのとき，教師はどんな配慮や工夫を
> したらいいのでしょうか？ 思いつくことを発表してください。

中川君 僕だったら，「間違えてもいいですよ」
と言う。それで，何か発表してくれたら，間
違えていても正しくても，どちらの場合にも，
「言ってくれてありがとうね」という反応をし
てあげようと思っています。

おーっ，すばらしいですね。先生にそう言ってもらえる
と，きっと子どもたちは理由を言いやすくなるし，それ
に先生に「ありがとう」なんて言われて，うれしくなっ
ちゃうでしょうね。中川君，いいじゃないですか！

中川君 はいっ，でも，「ありがとう」は，小原先生
が僕たちによく言っているので，「それ，いいな！」
と思って真似したくなっただけのことです（笑）

どうも，どうも，ありがとう！（笑）
他にはどうですか？

はいっ，子どもの理由発表が分かりづらいものだっ
たりしたときは，先生が復唱して，他の子どもたち
にも分かるようにしてあげるといいと思います。

どんな理由にも，先生は決して否定しない
ことが大切だと思います。

声が小さくてみんなに聞こえてなさそうだったり，分かりづらそうな理由だったりしたら，先生が繰り返して言ってあげるといいと思います。そして，その子に，「すごいねー！」「おもしろいねー！」などと言ってあげたいです。

なるほどね。それもいいですねー。

　ここで僕は，講義ノートの「理由の発表のときに注意すること」の続きを声に出して読みあげました。

講義ノート　**板倉聖宣さん**──「理由の発表」は，それぞれの予想の子どもたち，数名ずつを指名して行ってもらうといいしょう。ただし，教師が勝手に発言させるのですから，子どもたちには「何を言ってもよい」という権利を保障してあげましょう。

　また，「なんとなく」というふうに理由を言う子どもはたくさんいますが，この「なんとなく」というのも，ちゃんとした理由です。無理に予想を選べというのですから，「なんとなく」というのも認めてあげましょう。そして，その方が，子どもたちは気持ちよく授業に参加することができるようです。

小原茂巳──子どもたちが理由を言ってくれたら，僕は誰にでも，「はい，どうもね」「ありがとうね」などと言うことにしています。「無理やり指名したのに答えてくれてありがたいなー！」という気持ちになれるからです。また，僕はどんな理由にも「はいっ，どうもね」と答えるようにしています。見事で堂々とした理由発表にも「はい，どうもね」。すごい短い理

> 由発表にも「はい，どうもね」。"なんとなく"にも「はい，どうも
> ね」です。教師の反応で，答えが分かってしまわないように，ポー
> カーフェイスでいることが大事ですものね。それに，もし指名し
> て，何も言えずにもぞもぞしていた場合は，すばやく，
> 「あっ，ごめんごめん。無理しなくていいよー」と言
> うことにしています。

多くの学生は，ここで紹介した板倉聖宣さんの〈"なんとなく"も立派な理由のうち〉という考え方に共感してくれているようでした。

学生の感想——

・理由の発表のとき，先生はいつも「なんとなくでもいいよ」と言って
くれます。21歳になった今も，「なんとなく」と言える環境で授業を受
けるのは，とても心地よいです。心地よい環境で授業を受けると，それ
が積極性にもつながると思いました。（長澤さん）

・他の授業では発言しない私が，なんでこの授業では発言するのが平気
なのかを考えてみたら，小原先生の授業では，「"なんとなく"もちゃん
と認めてくれるからだ！」と思いました。自分ではだめだなーと思うよ
うな理由でも，先生がちゃんと尊重してくれるから，私は発言すること
に抵抗がなくなったのだなー，と感じました。（岩下さん）

●アルコールと水を足し合わせると体積はどうなる？

> それでは，いよいよこれからみなさんに〔問題6−1〕の
> 理由をたずねていきます。「なんとなく」というのでもい
> いですから，キラクにみなさんの考えを教えてください。

それでは，少数派から理由を聞いていきますね。たしか，予想ウは千葉さんだけでしたね。千葉さん，もしよかったら，ウ（100㎤より減る）の理由を教えてください。

千葉さん　はいっ，私は，なんとなく100㎤ではないような気がしました。水と水なら100㎤になるだろうけれど，水とアルコールは別の物質なのだから，100㎤になるとはかぎらなくて，なんとなくこの場合は100㎤ではないような気がしたからです。

おーっ，そうですか。はいっ，どうもね。

では，次は多数派のアの人たちにたずねます。
アは「ちょうど100㎤になるだろう」と予想した人たちですね。誰か，その理由を教えてくれませんか。

はい，僕は単純に考えました。これまでの実験の結果はすべて足し算してきたものだったので，この問題でもアルコール50㎤と水50㎤を足して100㎤になるのだと思いました。

なるほどね。他の人，どうですか？　アの人，もう一度手を挙げてみてください。誰か，どうですか？

はい，アルコールと水を一緒にすると，たしかに少し減ることもあるかもしれませんが，それは誤差みたいなもので，問題文のところに「1㎤以下の誤差はがまんしましょう」とあります。ここでは，ほぼ100㎤になると考えていい，だからアだと思います。

はいっ，どうもありがとう。では，次に討論に移りま
しょうか！　だれか意見のある人，いませんか？　自分
と予想が違う人への質問でもいいですよ。どうぞ！

　誰も挙手しません。その後，「予想を変更したい人，いませんか？」
とたずねてみましたが，ここでも反応はありませんでした。

　そこで，僕は，「それでは，いよいよ実験をしまーす！」と宣言して，
すぐに実験に入ったのでした。

　実験の結果は「約97㎤」で，予想ウを支持しました。なんと千葉さ
ん以外の全員が予想をはずしてしまったのでした。

　「えっ，どうして〜！？」「なんかスゴすぎる！」…など，驚きの声で
教室がいっぱいになりました。

う〜ん，でも，間違いなく100㎤より減っていますねー！
驚いちゃいますねー（笑）。「どうしてこーなっちゃうのか」
は次の問題をやってから，スッキリさせますね。

●重さはどうなる？

〔問題6−2〕　今度ははじめに，アルコールと水とを50㎤ ずつとっ
て，その重さをはかっておきます。アルコールはいれものごとで165 g，
水はいれものごとで175 g でした。このアルコールと水とをまぜあわ
せたら，その重さはどうなるでしょう。

予想

　ア．ふたつの重さをたしたものになる（ふたつのいれものごとで
　　　340 g になる）。

　イ．ふたつの重さをたしたものよりへる。

ウ. ふたつの重さをたしたものよりふえるだろう。

エ. まったく予想がたたない。

討論 みんなの予想を出しあってから実験しましょう。

予想分布

ア‥20名
イ‥‥9名
ウ‥‥0名
エ‥‥1名

さっそく，学生たちによる理由発表です。

一番バッターは，ただひとり「エ…まったく予想がたたない」を選んだ中澤君です。

中澤君（？） 僕，アとイで迷っていて，今，本当にまったく予想がたたないのです（笑）

いいですよー。いっぱい迷ってください（笑）。迷うということはノーミソをフル回転させている証拠。すばらしいですね。でも，友だちの討論などを聞いて予想を変えたくなったら，いつでも教えてください。
ただ，予想変更は実験前にお願いしますねー。

次は，予想イの学生の理由発表です。

梅宮君（イ） さっきの実験で，水とアルコールが混じったものは体積が減ったので，それと同じで，重さだって，ふたつの重さを足したものより減ると思いました。

なるほど。他の方，どうですか？

なんとなくです。
私もなんとなく……。

次は多数派である予想アの学生たちの理由発表です。

和泉さん（ア）　今までにいくつかの〔問題〕をやってきて，たとえば，水に食塩を入れて溶かしても重さは足し算したものだったので，ここでも，たとえ体積が減ったとしても，その重さは変わらないのだと思いました。

なるほど。もう1人，だれかどうでしょう？

乾さん（ア）　私も今までやってきたどんな実験でも，重さは足し算していいという結果だったので，ここでも，それと同じ考え方でいいと思いました。

なるほどねー！　それでは，次にみんなで討論しましょうか。ここでは僕からは指名しません。どの予想の人でもかまいませんから，誰か意見のある人は発表してみてください。誰か，どうぞ!!

ここで，津久井さんと伊藤君の二人が手を挙げてきました。

おーっ，すばらしいですねー！
では，はじめに津久井さん，お願いします。

　じつは，後で本人が書いた感想文で分かったことなのですが，津久井さんはこれまで自分から進んで挙手して発言したことがなかったらしいのです。そんな津久井さんが元気に「はいっ！」と手を挙げてくれたのです。うれしいですねー！

津久井さん（ア）　私はアなのですが，これまでの実験から，どんな変化があっても「質量保存で重

さは変わらない」ということが分かってきたので，ここでもそれが成り立って，たとえ体積が変わっても重さは保存され続けると思いました。

はいっ，どうもね。
では，次に伊藤君，どうぞ！

伊藤君　はい，たしか，ペットボトルに……　

あっ，ごめん！　伊藤君の予想は何でしたっけ？
伊藤君の選んだ予想がどれか最初に言ってから，
自分の考えを発表してくれませんか。

伊藤君（ア）　はい，僕はアです。たしか，ペットボトルに水を入れて冷蔵庫で凍らせると体積が増えたような気がするけれど，でも，その重さは変わらなかったと思う。だから，今回のように，2つのものを混ぜて体積が減ったとしても，重さそのものは2つを足したものと同じでいいと思いました。　

　この二人の意見発表には，まわりの学生たちから，「あー，なるほど！」「おーっ，その例，すごくいい！」などという反応がありました。

　ところで，ちょうどこのタイミングで「予想変更したい」と挙手してきた学生がいました。予想がエ（まったく予想がたたない）だった中澤君です。

　中澤君はどこに変更していくのか？　まわりがざわざわしてきました。そんななか，中澤君は大きな声で，「エからイに変更する！」と言ってきたことで，教室にドッと笑いが起こりました。中澤君の予想変更先

が，まわりを唸らせるような理由を言った津久井さんと伊藤君が支持する「ア」ではなく，「イ」だったことが面白かったのでしょう。かくいう僕も，一緒になって笑いました（笑）。

　　学生の感想──
　　・今日はじめて自ら手を挙げて発言しました。今までを振り返っても「よく挙手できたなぁ」と思います。私が挙手できたのは，小原先生の授業が，一人一人の発言を大切にし，間違えることが恥ずかしくない環境だからだと感じました。将来，自分が教壇に立った際，私もそのような環境作りに努め，たのしい授業をしたいと思いました。（津久井さん）

●体積は減っても重さが変わらない理由

　さて，いよいよ実験です。

　実験結果は……ジャーン！　「予想ア…ふたつのものを足したものになる」を示しました。

　予想が当たった学生たちはパチパチ…と拍手をして喜んでいます。予想がはずれた学生たちは，「え〜っ，どうして！？」「意味，わかんない！」などと言って悔しがっています。「理由を早く知りたい！」と言っている女子大生もいました。

　その後，僕は，お話「ものの体積と重さ」を読み上げました。

ものの体積と重さ

　ふたつのものをいっしょにすると，あわせたものの重さは，いつでも，もとのふたつのものの重さをたしざんしたものと同じになっていることがわかります。

　けれども，ふたつのものを加えたとき，あわせたものの体積は，いつも，もとのものの体積をたしざんしたものになるとはかぎりません。

たとえば，１リットルの豆に，１リットルの米をまぜあわせても，その体積はちょうど２リットルにはなりません。ちいさな米つぶは，大きな豆つぶのあいだのすきまにも，もぐりこめるからです。

こういうことは，目にみえるような粒でできているものをまぜあわせたときにだけおこるわけではありません。種類のちがう液体どうしをまぜあわせ

ても，あわせたものの体積がもとの液体の体積をたしざんしたものとちがってしまうことがあるのです。

たとえば，体積 50 ㎤のアルコールに，体積 50 ㎤の水を加えても，その体積は 100 ㎤にはならずに，97.9 ㎤ぐらいにしかならないのです。

アルコールや水はぎっしりつまっているようにみえるのに，どうしてこんなことがおこるのでしょう。なにかがこっそりとびでてしまうのでしょうか。でも，そんなことはありません。

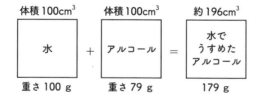

きっと，アルコールや水をつくっているちいさなつぶ（分子）のあいだにも，すきまがあって，それらの分子がたがいにいりくんだりすると，体積がへったりすることがあるのでしょう。

しかし，いくらものをつくっている粒子（つぶ）がいりくんで，その体積がへってしまっても，重さの方はへってしまうようなことはありません。ものをつくっている分子や原子がなくならないかぎり，重さはいつもたしざんできるのです。

学生たちは全員，とても興味深そうな様子でこのお話に耳を傾けてく

れたのでした。

学生の感想——

・アルコールと水を合わせると，重さは変わらないのに体積は減って驚きました。「質量保存の法則」…聞いたことあったけど，理解できないままでした。でも，「豆と米を混ぜ合わせたときの話」で考えたら，すごくわかりやすかったので，誰かに教えてあげたいなと思いました。理由の発表では，いつも先生の「なんとなくでもいいんだよ」に助けられていたなと感じていたので，子どもたちにも「何を言ってもいいんだよ」という安心感を与えてあげたいと思いました。（網中さん）

・毎回さまざまな問題で驚かされていますが，今回ほど驚いたことはなかったと思います。水とアルコールを混ぜたときの体積の結果にも驚きましたが，その結果と後の問題を関係づけて教えるというやり方にも，目からウロコでした。たしかに，こんな方法なら驚きと結果がセットで心の中にしっかり残ると思います。実験一つでも見せる順番でこんなに変わってくるのかと今日はとても勉強になりました。（中澤君）

・問題の出す順番ってとっても大切だと思った。その順番を変えるだけで，"学びの感動"が大きく変わると思った。この授業書のそこまで考えられている授業構成は本当にすごい。理由の発表も，少数派から聞いていくのは確かにな，と思った。発表しやすい雰囲気をいかに作るかが大切。発表をしたほうが授業に参加したという気にもなるし，充実感にもつながると思った。（根本さん）

第1章 〈たのしい授業〉のすすめ方

④ 討論のすすめ方

　この日の講義のテーマは「討論のすすめ方」です。 授業書《ものとその重さ》第2部の〔問題7〕をやりました。

〔問題7〕　赤ちゃんの体重をはかったら，6500 gありました。そのあとすぐに200 gのミルクをのませて，そのまたすぐあとで，もういちど赤ちゃんの体重をはかりました。赤ちゃんの体重は，どのくらいになっているでしょうか。

予想

　ア．6700 gよりおもくなる。

　イ．ちょうど6700 gになる。

　ウ．6700 gより少なく，6500 gより多い。

　エ．6500 gのままで，かわらない。

討論　どうしてそう思いますか。みんなの予想を出しあって討論しましょう。

　まずは，予想エを選んだ人からどうぞ！

土田君（エ）　はい，飲んですぐだから，ミルクの重さはすぐには体重に反映されないと思いました。

予想分布
ア ……… 0名
イ …… 15名
ウ …… 14名
エ ……… 1名

55

次は，予想イの学生の理由発表です。

> **浅川君（イ）** 僕は純粋に考えました（笑）。
> 赤ちゃんの体重6500gに飲んだミルク分の
> 重さの200gを純粋に足し算しました。

> **根本君（イ）** すぐに消化するはずがないし，
> 飲んだものはどこにもなくならないはずなの
> で，イだと思います。

次は，予想ウの学生の理由発表です。

> **床井さん（ウ）** 身体の中に入ってミルクは
> 消化されるはずだから，ミルクの重さは全
> 部は加わらないと思います。

●気持ちよく討論してもらうために

さあ，いよいよここから討論の始まりです。今回は「討論のすすめ方」
がテーマなので，授業書の〔問題〕といっしょに，このテーマに関する
Question を3問考えていきます。まずは Question12 から。

>
> **Question Q12** 子どもたちに気持ちよく討論してもらうためには，
> どんな工夫や配慮をしたらいいと思いますか。

 誰か，どうですか？

> **中川君** 討論で意見が分かれたとき，先生は
> どちらのサイドにも立たないで中立の立場で
> いるようにしたいと思います。

なるほど。でも，それって，どうして？

内堀君　はいっ，先生の態度がどっちかに偏ると，どうしても，そこに先生の権威みたいなものが影響してきて，それが正しいと思ってしまうからです。それに，実験の前に正解がわかってしまったらマズいじゃないですか（笑）

なるほど，正解がばれちゃうか。僕も討論の司会をしているとき，正解がバレないようにできるだけポーカーフェイスを心がけていますが，どうですか，バレていませんか？（笑）

ポーカーフェイスって何ですか？

う〜ん，ポーカーフェイスね，辞書的にはきっと「心の中が読まれないように無表情な顔をする」ってことかな？　でも，僕は，「無表情」は冷たいイメージだから，なんか嫌いです（笑）。だから，僕は討論の間はほとんどニコニコすることにしています。実際，子どもたちの討論を聞くのはたのしいですからね。自然にニコニコしちゃいますねー。では，他にどうですか？

瀧澤君　討論の前に，先生が子どもたちに「言い合いにならないように！」とか，「お互いに否定的なことは言わないように！」などと言っておくのがいいと思います。

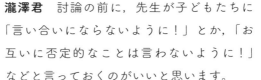

「否定的なことを言わない」ってどういうこと？

　　瀧澤君　他の意見に「それ，違うよ！」とか…かな？

「それ，違うよ！」と言っちゃーダメですか？

　　土田君　ハイッ！　僕は，「それ，違うよ！」はどん
どん言っていいと思います（笑）。僕だったら，遠慮
せずに何でも言えるような雰囲気にしたいです。

　　千葉さん　ハイッ！　私も土田君と同じです。さっき
の瀧澤君には悪いのですが（笑），討論なのだから，言
い合いになってもいいし，否定的なことを言い合いっ
こしてもいいと思います。それで，もし討論が加熱し
過ぎてみんなカッカッしてきたら，「このやり合いは
授業の中だけだよ！」と言ってあげたいと思います。

　これを聞いて，瀧澤君は，「そうだよなー！　討論だものなー！」と
声に出してうなずきました。

おーっ，瀧澤君，素直ですねー！　そういう自分
の中の変化を正直に言える瀧澤君は何かさわや
かでいいですねー。うらやましいですねー（笑）

　　瀧澤君　どうも（笑）。「言い合い」はいいけど，
でも，討論の中身と関係のない〈人を傷つけるよ
うなこと〉は言わせない方がいいと思います。

おーっ，そうですか。〈人を傷つけるようなこと〉って，
たとえばどういうことですか？

瀧澤君　「バカ！」「おかしいんじゃ
ねぇーの！」とか…かな。

続いて他の学生から，「ハゲ！はいけない」「死ね！もね」などという
声があがりました。

なるほど，それは中傷だもんね。たしかによくないね。
みんなの意見で，僕が討論の際に気をつけたいと思っ
ていることも大体出たと思います。

　ところで，少し話が逸れますが，僕は30年以上中学で仮説実験授業
をやってきたのだけれど，討論がキッカケで中学生同士がトラブルを起
こしたことはほとんどなかったです。どうしてでしょうね？　意見を戦
わせるわけだから，相手にムカつくことがあってもおかしくないはずで
すがね。
　それは仮説実験授業の場合，たとえ予想が対立して激しい言い合いっ
こになったとしても，その決着は〈実験〉でスッキリさわやかに決まる
からですね。実験の後は，相手への悔しさの感情なんかどうでもよくなっ
て，そんなことより，予想をはずした自分自身を悔しがりつつ，「よしっ，
この悔しさを次の問題で晴らすぞ！　頑張るぞ！」みたいに先に向かっ
ていくのですね。そして，多くの子どもたちは，「へぇー，（この実験結果）
びっくりするなー！」「へぇー，こういうことだったのか。新しいこと

を知ることができたなー！」「うれしいなー！」というふうに感想文に書いてきます。子どもたちは討論に負けても〈転んでもシメタ！〉にしていました。

●**討論が盛り上がらないとき**

それでは，次のQuestion13を考えてみましょうか。

> Question
> **Q13**　討論を促しても，子どもたちが討論に参加してこない場合はどうしたらいいのでしょう？

誰か，どうですか？

討論しやすいように小グループに分けて，そこで討論させればいいと思います。

なるほど。人数が少ないと話がしやすいということね。でも，ここでは，教室のみんなでの討論を前提にして考えてみましょう。誰か，どうですか？

（シーーン……）

はい，いいですよ。無理して答えることないですよ。では，〈子どもの立場〉に立って考えるとどうでしょう。先生が「討論をしましょう！」と言い始めたとします。さて，そんなとき，子どもの立場だとしたら，先生にどういう配慮をしてほしいと願いますか？　また，「こういうことはしてほしくないよなー」ということはありませんか？

私, こういうときに先生に言ってほしくないことがあります。それは,「なんで, あなたたち, 意見を出さないの!」「よく考えれば, 何かあるんじゃない!」などと, あきれたり, おどしたりするようなセリフです。こういうのは, ちょっと嫌です(笑)

(思わず大きくうなずいて)そうだよねー! 僕もそういう教師のセリフは嫌でしたねー(笑)。特に言いたいことなどないのに, あるいは自信がないので発言したくないのに, 先生が張り切っている。ひどいときには, 僕たち(子どもたち)に討論を強要する。あれ, すごく嫌でしたねー。

でも, 今度は〈先生の立場〉で考えてみたときはどうでしょう。今, 目の前の子どもたちが討論に参加してこないとします。さて, そういうとき, みなさんならどうするのでしょう。誰かどうですか?

(シーーン……)

ぼわ〜っとした質問で答えづらいですか, ゴメンなさいね(笑)。それじゃー,「僕の場合は…」ということで話をさせてください。じつは, 僕, 子どものときは無理やり意見を言わされるのが嫌だったはずなのに, 先生になった途端に, いつの間にか, 〈討論を強要したがっている自分〉がいて, ヒヤっとしたことがあります。「なんだよ, 俺も嫌なことをするねー!」って感じでドキッとした(笑)

そんなときに，板倉聖宣さんの「〈発言しない権利〉を保障しましょう」という話を聞いて，すごく驚いたというか，うれしかったことを覚えています。「発言する権利」を保障する先生はいますが，「発言しない権利」を保障してくれる先生なんて，ふつうはいませんからねー。板倉さんは，「討論がなかったときはどうしたらいいのか。そのときは〈シメタ！〉ですよ。すぐに実験に進めばいいのです。"さぁー，どんどん授業を進められるぞ！""実験をたくさんやってあげられるぞ！"というふうに〈シメタ！〉にすればいい」というのです。これを聞いて，僕は，「そうだよなー，発言したい子にはいっぱい発言してもらい，発言したくない子には発言の無理強いはせずに，安心してノーミソを動かしてもらえればいいんだー！」と思えたのでした。

学生の感想──

・「討論のとき，子どもたちから意見が出ない場合はどうしたらいいでしょう？」と問われて，もしも自分が先生だとしたら，僕が最も嫌いな「なんだ〜！ みんなは意見が言えないのか。情けないなー！」みたいなことを何も考えずに言ってそうと気付いてゾッとした。でも，今日の授業で，「討論がなかったら，実験が多くできる。先にどんどん進めばいい」ということを知って，僕は先生としても生徒としても，すごく気持ちが楽になった。（瓜生君）

・「発言しない権利を保障する」というのがとても良いと思いました。私は，自ら発言することが苦手なので，先生が指名する際，常に「私にあたらないように！」と願っていたように思います。今日の授業で，「発言しない権利」の話を聞いたとき，自分が正当化されたようで嬉しかったです。無理に発言を強いるのでは教師も児童も良い気分で授業できないと思うので，みんな自分から発言したくなるような「たのしい授業」こそが大切なのだな，と思いました。（床井さん）

●討論が白熱しているとき

> **Question Q14** ところで，さきほどの場合とは反対に，「発言したい」という子どもたちがたくさん現れたり，討論が白熱して長く続くということがあります。そういうときには，先生はどうしたらいいのでしょう？

討論が白熱するというのはいいことですね。発言したい子にはいっぱい発言させてあげたい。しかし，一部の子どもたちだけで討論が白熱していて，まわりの子どもたちはどうも討論に飽きている雰囲気がある…。さて，そういうときにはどうしたらいいのでしょうね？

（シーーン……）

こんなときは，「まだ意見を言いたい」という子どもたちの気持ちを大切にしつつ，しかも，「そろそろ実験に進みたーい」という子どもたちの気持ちも尊重してあげられるとい

いですね。たとえば，先生から「どうしますか？　もう少し討論を続けますか？」「友だちの考えをもう少し聞きたいですか？」「そろそろ実験にしますか？」と，教室のみんなにたずねてみるのがいいでしょう。それで「もうそろそろ実験にしよう」という声が多かったら，討論を終わらせる方向に持っていくことができます。

他に，何か思いつく人はいますか？

時間で区切るというのはどうですか？
「あと５分で討論は終わりね！」とかね。

なるほど。他にはどうですか？

「意見は一人あと１回ずつ」というのは？

なるほど，〈発言回数で区切る〉というやつですね。僕も，「あと３〜４名で討論をおしまいにして，実験に進みましょうか？」という投げかけをよくやっています。たとえばこんな感じです。

「今，みんなに聞いたら，"そろそろ実験がしたーい！"という人がたくさんいました。それで，意見を言う人をあと３〜４名にしぼらせてもらいますね。それでは，どうしても自分の意見を発表したいと思う人，どうぞ手を挙げてください！」……

でも，僕も最初，これをうまくやれなかったですねー。討論している子どもたちのことばかり気にしていて，

まわりの"一般大衆"の気持ちを理解しないまま討論を続けていたり，あるいは逆に，討論に飽きている子に気付いた途端，討論を打ち切って，発言したい子どもたちの気持ちを無視してしまったりね……。
それでも，子どもたちの多くは，次の実験結果に夢中になりますから，そんな無神経な僕のことを許してくれていましたねー。ありがたいですねー（笑）

●討論，スタート！

さて，ここでそろそろ授業書《ものとその重さ》の〔問題7〕の内容に戻りましょう。いよいよ，学生たちによる討論の始まりです！

どうですか？　自分の考えを発表したり，違う予想の人への質問，反論などしてみる人はいませんか？
みんなでワイワイ討論をしてみましょうよ。

野田君（イ）　はいっ，僕はイなのですが，ミルクが赤ちゃんのお腹に入っていくのだから，その分，そのまま赤ちゃんの体重になると思います。

滝田君（イ→ウ） はいっ，僕，野田君の意見を聞いてイからウに変更します！ だって，食べた分だけ体重が増えてたら，人間はこーんなにビッグになって大変じゃないですか（笑）。だから，食べた分全部は増えないと思います。これはウです！ 僕，今，ウに絶対の自信を持ちました！（笑）

すると，さっそく，滝田君への反論者が現れました。

鳥潟君（イ） 少し減ると言うけれど，その減った分は何ですか？ それにそれはどこにいったのですか？ どこにもいくところがなかったら，その考えはおかしいんじゃないですか！

反論された滝田君，どうでしょう？

滝田君（ウ→イ） たしかにその通り!!
僕，ウからイに変更します!!

またドッと笑いが起こりました。しかし，ここで今度はイへの反論者が現れました。

瀧澤君（ウ） はいっ,僕はウです！ 人間には「消化」という作用があるんです。口の中の唾液からすぐに消化作用が始まって，ミルクを早いスピードで栄養にして分解してしまうのです。口に入ったら唾液がすぐに消化するんですよ！ だから，絶対に体重が少しは減るはずです。

瀧澤君の意見に，まわりの学生たちからは「「お〜っ！」「なるほど！」

と感心する声があがりました。しかし，瀧澤君への反論者も現れました。
さっきの鳥潟君です。再びウへの鋭い反論です。

> **鳥潟君（イ）** 唾液の消化でミルクが分解すると
> いうけれど，それは分解されてミルクが小さくい
> くつにも分かれるということでしょう。それで体
> 積は変わるかもしれません。でも，体積が変わっ
> ても重さには関係しないと思います。前に，「砂
> 糖を水に溶かすとどうなるか」という問題をやっ
> たじゃないですか。そのとき，砂糖は分解されて
> 水に溶けていったけれど，その砂糖の重さはちゃ
> んと増えました。だから，たとえ消化されても重
> さが減るということはないと思います。

再び，「お〜っ！」「なるほど！」…という声。
さて，反論された瀧澤君はいかに？

> **瀧澤君（ウ→イ）** たしかに〜！　その通り!!（笑）
> 　　　　　　　　　　僕，ウからイに変更します!!

またまた，教室中にドッと笑いが起こりました。

> **関原君（ウ）** はいっ，僕はウなのですが……

おーっ！　予想ウも負けていません。ここでイへの強力な反論者が現
れました。関原君は，ふだんから教室のみんなに尊敬されている優秀な
学生らしく，教室のあっちこっちから「おーっ！」という驚きの声があ
がっています。ふだん，滅多に発言しないその関原君が今，イへ反論す
るために挙手をしてきたのです。

関原君（ウ） 僕はウなのですが，たしかに，人間が食
べた分はそのすべてが身体の中に入って体重になりま
す。ところで，身体から出ていくものは「排泄物」です。
「身体に入ったもの」がすべてこの「排泄物」として出
ていくわけではありません。残りは，どこにいったのか
……それはカロリーとして消費されてしまうのだと思
うのです。だから，食べたもの全てが赤ちゃんの体重に
プラスされることはないと思います。

「おーっ！！」「たしかに～！」という声があがりました。
　ここで予想変更する人も現れました。今日，すでに「イ→ウ」「ウ→イ」
と２回も予想変更している滝田君です。

滝田君（イ→ウ） たしかに～!!（笑）　僕，イからウ
に変更します！　さっきはイだと思って変更したのです
が，今の関原君の意見を聞いて，ウの方が現実味があ
るような気がしてきました。これは絶対にウです！

しかし，予想イも負けていません。

千葉さん（イ） ハイッ！　私はイなのですが，この問
題は，食べてすぐ体重を測るのだから，たとえ，排泄
物以外に何か外に出ていくとしても，そんなにすぐに
はなくならないと思います。だから，これは食べた分
だけ増えるという考えでいいと思います。

「おーっ！」「すばらしい！」という歓声があがります。これまで３回
も予想変更している滝田君も「たしかに！」と唸っています。

68

さて，滝田君はいかに…？

滝田君（ウ） たしかに！ でも，僕，ここはウでふ
んばります。予想は変えません。ウで勝負します！

みなさん，なかなか盛り上がっていますね（笑）。
どうですか？ そろそろ実験をしましょうか？
他に意見のある人いませんか？

（シーン……）

それでは，予想を変更する人はいませんか？

（シーン……）

これで，討論は終了です！

●いざ実験！

そして，いよいよ実験です。

ここでは，「DVD たのしい科学教育映画シリーズ*」の『ものとその
重さ』に収録されている「青年が牛乳を飲んで体重をはかる実験シーン」
でもって実験結果を示しました。

実験結果は……

ジャーン！ 「イ（ちょうど 6700 g）」を示したのでした。

「え〜っ！」「やった〜！」…パチパチ…驚く声，喜ぶ声，拍手などで

---

* 『DVD たのしい科学教育映画シリーズ』は，科学の基本概念を教えるために仮説実験授業の
手法を取り入れて作られた科学映画です。監修は板倉聖宣さん，シナリオは牧 衷さん。なお，
『たのしい科学教育映画シリーズ』（発売元：岩波映像株式会社／販売：仮説社）には『第1集』
『第2集』『災害の科学』があり，それぞれの収録内容や価格は仮説社の HP で確認できます。

教室にどよめきが起こりました。

　学生たちはみんな生き生きしているように見えました。そんな彼らを見て，僕も心の底からうれしくなりました。学生たちが書いてくれる授業感想文を読むのがたのしみです。

　　学生の感想——

　・ぴったりミルクを飲んだ分だけ赤ちゃんの体重が増えていたのには驚きました。物だけでなく人でも「質量保存の法則」の科学が成り立つことに感動しました。（石川さん）

　・〔問題7〕の実験の結果にはかなり驚きました。それから，やはり，討論のシメには，絶対に〈実験の結果〉が必要だなと思いました。あれだけ討論が激しかった（盛り上がった）のに，結局，みんなでたのしく終わりましたから。（中島君）

　・自分みたいに討論好きなタイプもいれば，あまり討論に参加しないタイプもいるので，討論の途中で「どうする？　もう少し討論を続ける？　それともそろそろ実験する？」といった子どもたちへの問いかけはすごく大切だと思いました。自分も早くこういったことを現場で活用したいです。授業するのがたのしみになりました。（滝田君）

　・いままでも〈予想することによって結果が印象に残る〉と実感していましたが，〈討論があるとさらに強い印象を残す〉のだなと実感することができました。（津久井さん）

＊　＊　＊

　さて，これまで，「〈たのしい授業〉のすすめ方」として，①問題の出し方，②予想のたずね方，③理由のたずね方，④討論のすすめ方，の順にまとめてきました。

　ところで，こうしてあらためてまとめてみて，少し心配になってきたことがあります。

　ひとつは，「〈授業するときはいつもこんな細やかな心配りをしないといけない〉と思わせたのではないか」ということです。

　けれども僕は，〈授業するうえで大切なこと〉として，学生たちには次のようなことを伝えるようにしています。

　「授業するうえで大切なこと，それは〈子どもたちと先生が気持ちよく授業をやれているか〉ということです。そのためには，〈先生が子どもたちと一緒に授業をたのしむこと〉が一番ですね。自然と先生も笑顔になりますからねー。子どもたちは先生の笑顔が大好きです！

　それさえ実現できていれば，授業のすすめ方なんか，ちょっとぐらいズレてしまっても平気です。

　これまで僕が伝えてきた授業の進め方は，〈押しつけを排除するための方法論〉です。そしてこれらは〈子どもたちと先生が気持ちよく授業がやれるように〉ということを目標に考えられたものです。

　だから，もしも，その目標が実現できていると感じているなら，少しくらい細かなことは気にせず，そのまま気分よく授業を進めればいいし，もしも，なんかうまくいってないな……と感じるのなら，これまで学んだことを忠実にやってみるのをオススメします」

＊

　そしてもうひとつだけ断っておかないといけないことがあります。それは，「〈授業のすすめ方〉を学ぶだけで，本当に子どもたちを惹きつけるような授業を実現することが可能なのだろうか」という疑問を持たせたのではないか，ということです。

　そのような疑問，ごもっともです。

だって，いかに授業のすすめ方が押しつけのない〈民主的なもの〉であっても，その教えられる内容が〈学ぶに値する内容〉でなかったのなら，「あー，学んでよかったー！」「たのしい授業だったー！」という気持ちにはなれませんものね。内容そのものが学びがいのないツマラナイものだったら，それはやはり子どもたちにとって「苦しい授業」「つまらない授業」の押しつけにしかならないからです。

そういうこともあって，この本では僕が〈学ぶに値する内容〉と考える仮説実験授業の《授業書》をとりあげて，授業の具体的なすすめ方について学んでもらっているのです。

僕自身が20代のとき仮説実験授業と出会ってびっくりしたのは，《授業書》を読んでいく僕の頭の中に，「(授業書の) 内容に惹きつけられ，夢中になって授業で躍動する子どもたちの姿がありありと浮かび上ってきたこと」でした。「この教材ですぐに授業したい！　僕でもたのしい授業ができるかも！」と思えたのでした。

そして，実際に授業してみると反応は想像以上でした。子どもたちは予想と討論をたのしみ，実験結果に驚いたり感動したり，夢中になって授業に参加してくるようになりました。「たのしい！」「こういう授業，またやってね！」と，子どもたちの方からリクエストされるくらい歓迎してもらえる〈たのしい授業〉になったのです。

そこで，このあとの第2章では，僕自身に〈授業の成功体験〉で教師としてやっていく自信と希望を与えてくれた《授業書》を使って，学生たちに模擬授業に挑戦してもらっています。未来の先生たちにとって，他の何よりも〈たのしい授業の成功体験〉こそが大切なものだと考えているからです。

〈たのしい授業〉の成功体験を！

① 《授業書》による模擬授業の試み

●教壇に立つことの不安…

　人間，誰しも〈成功体験〉というのが大切です。意欲や自信につながります。そこで，僕が教えている「(初等)理科教育法」の講義でも，できるだけ多くの学生に〈成功体験の機会としての模擬授業〉を体験してほしいと思っています。けれども，学生にとって模擬授業の「先生役」をやるのはとても不安なようです。たとえば学生たちに「模擬授業の先生役をやってみませんか？」と声をかけると，多くの学生に共通する悩みが出てきます。それは「教壇に立つことへの不安」や，「自分は教師に向いているのか？」といったことです。

　あるとき，女子学生の一人は次のような悩みを書いてくれました。

　　〈先生に向いている人〉というのは，「性格が明るいこと」「声がはっきりしていること」「板書が上手なこと」「生徒の前で堂々と話せること」「指導力があること」などが求められていて，それが揃ってない人は〈先生に向いてない〉みたいなプレッシャーがあって，「私はどうかな？」って考えると自信がなくなってしまうのです。そのため，教壇に立つことに抵抗があります。こういう気持ちはどうコントロールしたらよいのでしょう？

　教育学部の学生たちといえど，こういう重圧を感じている人はけっこ

う多くいるみたいです。だから，そうした学生たちを前に，僕は自分自身の経験を交えて，まずはこんな話をすることにしています。

＊ ＊ ＊

「性格が明るいこと」「声がはっきりしていること」「板書が上手なこと」「生徒の前で堂々と話せること」「指導力があること」など，すべてがそろっているなんて，そんなのそもそも無理ですよねー。少なくとも僕なんかには絶対無理です（苦笑）。

どうしてこういうことを，これから先生になろうとしている若者に平気で要求しちゃう指導者や年寄りがいたりするんでしょうね。もし自分でそう思うのなら，そんなのは自分自身の目標にとどめておけばいいのです。それか，ぐじゃぐじゃ言わずに見本を見せてくれればいいのにね。憧れちゃえば，真似しますからね。それとも自分でも無理なのかな……。

ところで，それとは別に，教壇に立つときのプレッシャーって，やっぱり僕にもあります。そもそも大勢の人の前に立つこと自体，ドキドキしてしまいますものね。僕なんか，何かのパーティーとか宴会での自己紹介やちょっとした挨拶なんかでも，自分に回ってくるまではすっごくドキドキしてしまうのです。ごちそうものどを通りません（苦笑）。こんな年寄りになっても，すごく苦手で逃げ出したくなります。

僕はそんなふうにとても気が小さい人間で，チックの持ち主でもあります。緊張すると，いろんなクセが出てしまうのです。こんな人間がよくぞ大勢の人の前に立つ〈教師〉という仕事をやれているよなーと思うこともあります。

だけど，自分の中に〈伝えたいこと〉が出てきて，〈それを相手が喜んでくれそうな予感〉がすると，ドキドキしながらも人前に立って，そ

れを夢中になって伝えている僕がいるのです。そのときはチックが出よ
うがそんなこと気にしていられるか，という気持ちになっている。そう
いう自分をすばらしいなーと思うことがあります。

　だから，「性格がどうの」「指導力がどうの」とか，「弱気になる気持
ちをうまくコントロールするにはどうしたらいいか……」などという悩
みや，その努力はとりあえずあきらめるのがいいかもねー。悩むなら，
あきらめましょう（笑）。

　そんなふうに悩むよりは，〈伝えたくてしかたないこと〉〈ワクワクす
ること〉に出会うことが先ですね。そのためには，自分が〈たのしいこ
と〉〈夢中になれること〉に敏感でいること。そして，〈憧れるもの〉に
出会ったら，それをどんどん真似するといいですね。真似は〈憧れるも
の〉に近づく一番の近道です。

　どうでしょう，こっちの道の方がより現実的だし，ハッピーな生き方
だと思いませんか？　だから，教師の卵であるみなさんには，僕は，「子
どもたちに伝えたくてしかたがなくなるような〈教えるに値する教材〉」
（＝仮説実験授業の《授業書》）に出会わせてあげたいのです。〈自分自身
が学んでワクワクし，それを子どもたちに伝えたくてしかたない〉と思
えるような教材にさえ出会えれば，その授業は80％は成功すると思っ
ていいですね。

　ぜひ，みなさんには，この〈成功感〉＝「私にもみんなが喜んでくれる授業ができたんだー」「俺の授業でみんなが喜んでいる！」という体験をしてほしいのです。

　また，こういう〈たのしい授業の成功体験〉の機会は，「授業がうまくいかない」「子どもたちにワクワクさせるような授業ができない」などと悩んでいる現役の先生方にも，ぜひ出会ってほしいと願っていることです。この体験こそが，教師にとっての自信につながるのです。

＊　＊　＊

●僕自身が授業書に救われた！

　じつは，僕自身，教師1年生のときに，ラッキーにも仮説実験授業の授業書でもって〈成功体験〉をすることができたのです。

　教師1年生の僕は，「学級経営」「生活指導」「授業」など，どれもうまくいかなくて悩み，クヨクヨしていました。そんなとき，偶然に知りえた仮説実験授業を，ワラにもすがる思いで（恐る恐るですが）やってみたのです。すると，子どもたちは夢中になって授業に参加してきました。実験結果を知って，大喜びしたり，悔しがったり……。

　そして，アパートに帰って一人，子どもたちに書いてもらった授業感想文に目を通していったときのことです。

　「たのしかった」「また，こういう授業やってね」「次もたのしみにしています」……などという文字が次々と僕の目に飛び込んできたのです。うれしくて，うれしくて，僕の目から涙がこぼれてきました。

　このときの体験が，当時悩める青年教師だった僕をどれほど元気づけてくれたこと

か。もう半世紀近く前のことなのですが，アパートで涙しながら感想文を読んでいた自分の姿を，今でもはっきりと思い出すことができます。

●先生にこそ，〈教えるに値する教材〉に出会ってほしい

ふつうの教育学の講義で問題にされることはまずありませんが，授業するうえで，〈先生自身が教える内容にワクワクできる〉というのは，とても重要なことです。〈教えるに値すると思える教材〉が，先生の方に用意できているとき，「その授業はほとんど成功する」と思っていいくらいです。

けれども，〈教えるに値する教材〉はそう簡単には作れません。現場のベテラン教師だって，教育学を教えている大学の先生だって，そう簡単に作れるものではありません。

そのため，僕の講義の模擬授業では，自分なりの教案を学生に準備してもらうのではなく，ひとまず僕の方から，「〈先生にとっては教えるに値する教材〉，〈子どもたちにとっては学ぶに値する教材〉である《授業書》」を用意し，それでもって模擬授業に臨んでもらっているのです（学生からの希望があれば，自分で準備した教案で模擬授業をやってもらっています。僕の模擬授業のすすめ方の詳細は文末の資料をご覧ください）。

	フツーの模擬授業	小原式
教案	学生が自分で準備	《授業書》を先生が準備
結果	うまくいかないことが多い	ほとんど成功

ただ，指導案を自分で準備する必要がないといっても，学生たちは最初は誰も模擬授業の先生役に立候補してきません。それは，教育学部の学生たちはすでに模擬授業をいくつか経験していて，あまりいいイメージを持ってはいないからです。

そこで，全15回ある僕の講義の前半数回は，僕が「先生役」になっ

て学生のみんなに仮説実験授業を体験してもらうことにしています。学生たちに，「本格的な科学の授業ってこんなにたのしんだー！」「こういう授業なら，子どもたちもいっぱい歓迎するだろうなー！」ということを身をもって実感してほしいからです。

そして，後半に，学生たちに授業書を使った模擬授業の機会を作っています。ここでは，「やる気さえあれば，私たちにも，〈生徒も教師もワクワクできる "たのしい授業"〉が実現できるんだー！」ということを体験してほしいと願っているからです。学生たちには，夢と希望を抱いて教職への道を進んでいってほしいのです。

この試みは僕自身にとっても，ドキドキ・ワクワクする〈教育実験〉とも言えるものでしたが，その成功を確信するまでに多くの時間はかかりませんでした。次節からは，そうした実践のいくつかの事例を紹介します。

初等理科教育法・模擬授業のすすめ方
〔＊模擬授業の前に学生に配布する資料〕

（1）模擬授業のタイプの選択
「初等理科教育法」の講義では，次の２つのタイプの模擬授業から，各自どちらをやりたいか選んでください。
Ａタイプ：《授業書》を使って模擬授業する。
指導案は不要です。授業する前の週に，僕と一緒に授業書のリ

ハーサルをします（10 〜 30 分程度）。「模擬授業の先生役をまだ一度もやったことがない」あるいは「やる自信はない」という人にもおすすめです。授業の成功体験ができます。
Ｂタイプ：教材選びから授業の組み立てまですべて自分で行う。
理科室にある薬品や実験器具は

使ってかまいません。指導案（授業は 20 分程度）を作って，事前に提出してください。自分がやりたい単元・教材がはっきりしていて，授業（指導案）のイメージができている人がいれば挑戦してください。

（2）授業の進め方（Aタイプ）

1 コマの授業で授業書の〔問題〕を 1 人 1 問ずつ 15 〜 20 分くらい，二人の先生役にやってもらいます。授業は，いままで学んできた基本の流れを外さなければいいのです。いままでの授業の中で，細かい配慮も教えてきましたが，それらはすぐにはできなくてもかまいません。だんだんとできるようになればいいのです。先生役の人は「先生役をやってみよう！」と決断し，立候補しただけでスバラシイ！ その主体性に拍手を送りたいです。

児童・生徒役のみなさんは子ども（小学生）になったつもりで授業を受けてください。ここで，小学生になりきってくれる人もエライです。授業の途中で先生がストップして，授業運営について話すこともあります。1 人の先生役が終わるごとに，みんなで感想を話し合いましょう。また，小レポートにも先生役 1 人ずつに感想文を書いてください。

感想文は，できるだけその人のやり方のイイところを見つけて書いて（発表して）ください。よくないと思ったところは，それを指摘をするだけでは当人がめげるだけなので，「こうするといいと思う」などの対案を示して，みんなで進歩できるようにしてください（ただし，対案の方がいいとはかぎりません）。

（3）模擬授業が終わったら

模擬授業が終わったら，児童・生徒役の人はその授業全体の感想や学んだことを小レポートにまとめてください。

先生役の人には，模擬授業終了後にみんなが書いてくれた「感想・小レポート」を渡しますので，持ち帰って読んでください（ウレシイことが書かれているかも？）。その後に，「模擬授業の先生役をやってみて」という感想文を書いてください。

第2章　〈たのしい授業〉の成功体験を！

② まずは一歩ふみだして

●人前に立つのが苦手なのに…

この日の模擬授業の先生役は，滝沢さんです。

滝沢さんは人前に立つのがすごく苦手なのだそうです。「人前に立つと顔がすぐ真っ赤になってしまうんですよ」と言っていました。それでも滝沢さんは先生役を希望してきたのでした。

その理由について，滝沢さんはこの日の授業後の感想文にこう書いています（以下，本人の感想文を時系列にそって紹介していきます）。

先生役に立候補した理由

滝沢さん

先生の授業をはじめて受けたとき，「できるだけ多くのみなさんに模擬授業をやってもらいたいです」という言葉には，正直，とても抵抗を感じていました。なぜなら，今まで模擬授業があった教科は，自分で指導案を考えて行わなければならなかったからです。

でも先生の授業では，〈決められた教材〉があったので，私の抵抗はだいぶ少なくなりました。もともと私は人前に出ると，顔に出してしまうほど緊張しやすい性格です。そんな私が模擬授業へ一歩踏み出したきっかけは，先生が紹介してくれる〈たのしい教材〉で，「みんなのわくわくした顔を見たい」「驚いてもらいたい」という気持ちが強くなったからです。サプライズ好きの私に，勇気をくれたのだと思います。

　滝沢さんには，模擬授業の２週間前に初等理科の実験準備室に残って
もらい，模擬授業で使う授業書《空気と水》の〔問題１〕と〔問題２〕
を紹介しました。そのとき，まずは本人にそれぞれの問題に予想をして
もらい，それから実験道具を見せて，結果をお知らせしたのでした。こ
のとき滝沢さんは，「これなら，みんなもびっくりしたり，ワクワクし
てくれそう！」と，とてもうれしそうにしていました。

模擬授業の事前準備

　私が，模擬授業で行う授業内容を先生から教えてもらったのは，２週
間前でした。そのとき，私もみんなと同じようにいろいろ考えたり，実
験結果に驚いたりしました。このとき，私はさらに「私だけでなくみん
なにも驚いてもらいたい」という気持ちが増し，ワクワクしてきました。
　準備としては，まず初等理科教育法の教科書*を読みました。教科書
には，先生がいままで講義で説明してくれたことが，授業の展開ごとに
細かく書いてあったので，読んでいてとてもイメージしやすかったです。
日が近づくにつれて，私と同じように模擬授業をする友だちと授業の進
め方を話し合ったり，お母さんの前で実際にリハーサル
を行ってみたりしました。準備の段階では，なぜだか自
信がいっぱいで，「いける‼」と思うばかりでした（笑）。

●教師が笑顔になれる理由

　さて，「これでいける‼」と思いはじめた滝沢さんは，模擬授業に自
信をもってのぞむことができたのでしょうか。
　ところがどっこい，模擬授業当日になると，打って変わって，不安と

---

*『たのしい授業 はじめの一歩』小原茂巳・佐竹重泰共著，私家版，すみれ書房，2007年。

緊張感が滝沢さんを襲ってきたというのです。

いよいよ本番

　模擬授業当日。前日までの自信とは打って変わって，緊張と不安が多くなっていました。1限の初等理科の授業を見学させてもらったときに，一足先に模擬授業の先生役の友だちが，とてもスムーズに授業を進めていて，すごいと思いました。「私にもクラスをまとめられるのだろうか」「順調に終えることができるのだろうか」と不安になってきました。

　いよいよ，2限の授業が始まって，小原先生から「今日の先生役は滝沢さんです」と紹介されたときから，緊張でいっぱいになりました。

　それでも私は，「とにかくどんな子でも理解できるような授業を展開しよう！」ということを念頭においてスタートしました。なぜかというと，私は普段，学習障害児に勉強を教えていて，「どうすればわかってもらえるか」をいつも考えているからです。学習障害を持つ子には，その子にあった教え方があり，私も失敗しながらも一人の子に対して1年くらいかけて効果的な指導法を見つけることができました。たとえ障害がない子でも「得意」「不得意」があると考えて，私は聴覚的にも視覚的にもわかるような授業にしたいと考えていました。

　〔問題1〕のプリントをみんなに配っているときは，まだ緊張したままでした。でも，みんな1人ひとりの顔を見ながら授業を展開していくにつれて，少しずつ緊張もほぐれてきました。そして，いろんな人が問

題を読んでくれたり，意見を言ってくれたりしたので，だんだん，本当にみんなが小学生に思えてきて，私が小学校の先生という気分になって授業をしていました（笑）。

　たしかに滝沢さんは，授業を始めたばかりのときは，とても緊張して

いるようでした。顔もちょっぴり紅潮していました。

　でも授業書を配り，「誰か読んでくれる人，いませんか？」と問いか
けたのに対して，「はいっ！」と手を挙げて応えてくれる学生が現れた
ころから，余裕が戻ってきたようです。そして，予想を選んだ理由や自
分の考えを発表してくれる学生が次々と現れてくるにし
たがって，滝沢さんに笑顔がいっぱい見られるようにな
りました。滝沢さんは自然な笑顔でもって授業を進めら
れるようになりました。

　この様子を見ていた僕は，「たのしい授業って，このように生徒先生
の相互作用で作られていくんだな」「生徒の反応（笑顔）で先生が元気
になれるんだ！」ということが実感できました。正直，ベテランといわ
れる僕だって，毎年，授業の最初は不安でいっぱいです。けれども，生
徒や学生たちの元気な反応や笑顔でもって，はじめて元気になることが
できるのです。

　その後，滝沢さんはゆっくりハキハキした口調で授業を進めていきま
した。そして滝沢さんは，学生たちのそれぞれの意見にとても丁寧に耳
を傾けていました。意見を発表する学生たちの中にも，胸をドキドキさ
せながら発言している人だっているはずです。そういう学生にとっては，
次の感想にもあるように，滝沢さんみたいに丁寧に耳を傾けてくれる先
生は，とてもうれしい存在になるはずです。

　　学生の感想――
　　・滝沢さんの授業は雰囲気がとても良かったです。実験結果を知ったと
　　　きの生徒の驚きや感動に対して，滝沢さんも一緒に共感してくれたりし
　　　たので，授業になじみやすかったです。（土田君）

僕はこの様子をそばで見ていて，「あー，いい先生だなー。いい授業だなー！」と思いました。きっと教室にいる学生たちのほとんども，そう思っていたんじゃないかな。授業が進むにつれて，教室のみんなも笑顔で授業に参加していましたもの。

●トラブル発生！

ところで，授業の中でちょっぴり混乱が生じた場面がありました。〔問題１〕の実験結果がどの選択肢に当てはまるものなのか，スッキリしなかったのです。

〔問題１〕 からっぽのコップをさかさまにして，右の図のようにまっすぐ水の中に入れます。コップの中に水は入るでしょうか。

予想

　ア．コップの中に水がいっぱい入る。

　イ．コップの中に水はほとんど入らない。

　ウ．コップの中に水が半分ぐらい入る。

　エ．その他の考え。

このときの予想分布は，右のようなものでした。

「エ．その他の考え」を選んだ４名の学生たちは，その理由として，イの「ほとんど入らない」ではなく，「まったく水が入らないから」と言っていました。

予想分布	
ア ………	1名
イ ……	20名
ウ ………	6名
エ ………	4名

その後，学生たちの活発な討論があり，そしていよいよ実験結果が出たときのことです。

　水槽のまわりを取り囲んだ学生のみんなで，ジーッと水槽の中に沈め
たコップの中をのぞきました。しかし，その結果はコップの中に水が
〈まったく入っていない〉ようにも見えるし，〈少しだけ入っている〉よ
うにも見えたのです。

　う～ん，これはイなのか，エなのか，どちらを正解にしたらいいので
しょう……。

　滝沢さんは困ったような顔をしています。学生たちも
「どっちなのかな」って感じで，キョトンとした様子です。

　そこで，僕は次のように説明しました。

小原　これは，はじめの問題の説明のときに，ハッキリ
させておくことでしたね。実験結果がシャープに出るよ
うに〈選択肢の意味を明確にしておけばよかった〉ので
すね。こういう失敗はよくあることです。このことは，授業者の滝
沢さんとの事前の打ち合わせのときに，僕が滝沢さんに丁寧に教え
ておかなければいけなかったことでした。いまの混乱は，滝沢さん
のせいではありません。僕の責任ですから，許してくださいねー（照
れ笑）。

　では，どうすればいいのか？　これは予備実験の段階で，〈水がまっ
たく入っていないのか，それとも少しは入っているのか〉のどちら
かの判定は微妙だというのが分かります。

　そこで，授業で問題を説明をするときには，予想イは，〈見た目で
水が全然入っていないように見えたり，ほとんど入ってないように
見える場合のこと〉をさすことにしましょう。〈あれっ，ちょっと入っ
ているのかも〉などと疑わしい場合も，イの〈ほとんど入らない〉
にしてください。それに対して，予想ウは〈おおよそ半分とか，たっ

ぷり水の入っている状態をさしましょう〉……などと言っておくと
いいのです。そうすれば，実験結果が出たときに混乱しないですみ
ます。

　だから今回の実験結果は，予想イの〈水はほとんど入らない〉とい
うことになります。でも，今回は僕のせいで混乱させてしまいました。
ごめんなさいねー。

　それで，今回の実験はこちらの事前の説明が曖昧だったので，〈イ
も正解，エも正解，どちらも正解！〉ということにしましょうか。
どちらにも見えるわけですからねー！

滝沢さんはこの場面を振り返って，次のように書いてくれています。

反省点はあるけれど

　「このままいい感じで終わるかなー」と思っていたら，
そううまくはいきませんでした。〔問題1〕の「イ．ほと
んど水が入らない」の意味をはっきりさせていなかったの
で，実験結果がはっきりしなくなってしまいました。これが私の反省点
だと思います。でも，そのとき小原先生がうまく対応してくれたので，
とてもたすかりました。勉強になりました。ありがとうございました。

　ところで，このような反省点もあったのですが，それ以上にすごくす
ごくうれしかったことがあります。それは実験をする際に，みんなが実
験を見るために前まで出てきてくれたことです。まさか前に出てきてく
れるとは考えていなかったので，とてもうれしかったです。

　滝沢さんは，教室のみんなが実験を見るために前に出てきてくれたこ
とがすごくうれしかったようです。こういう子ども（学生）たちの反応っ

て，教師にとってはすごくうれしいことです。教師の一番の役割は，〈子どもたちが授業で輝くお手伝いをすること〉なのですが，じつは「たのしい授業」の場合は，教師の方だって子どもたちからいっぱい元気をもらっているのです。

　僕自身も 20 代で仮説実験授業を始めたとき，子どもたちのうれしい反応のおかげで，いっぱい元気になれたのでした。授業がうまくいかず，子どもたちに反発されて自信を失いかけていた当時の僕にとって，それがどんなにうれしかったことか！ だから僕はいま，〈生徒に喜んでもらえるような授業体験の機会〉を学生たちに与えることができて，シアワセです。そして，いまでも僕は学生たちから元気をもらっているのです。

●授業を終えた滝沢さんの第一声は？

　模擬授業が終わったところで，学生たちみんなに感想文を書いてもらいました。そして，数名の学生たちにそれを読んでもらい，さらに感想を発表してもらいました。

　　学生の感想――

　・すごく楽しい授業でした。すごく流れもよく，まわりを見回しながら話す姿が本当の先生のようでかっこよかったです。話し方も丁寧なんだけど，堅すぎなくて，子どもたちと親近感がもてると思いました。自分の意見を述べた児童（学生）に対して，言葉かけがすごく上手だなぁと感じました。「みんな，わかった？」といって，その子の意見をサポートする様子を見て，これなら少しぐらい意見に自信がなくても，子どもたちは「ちゃんと先生がわかってくれる」と思うだろうなぁと思いました。滝沢さんの授業はすごく温かかったです。（竹内さん）

　・滝沢さんは人前に立つのが苦手と言っていたようですが，まったくそ

のような感じには見えず，堂々としていて，声の大きさも話すスピード
もちょうどよかったと思います。また，説明も分かりやすく絵に描いて
くれたり，児童が出した意見を，モノを使いながら説明してくれたりし
たのもよかったと思います。

　「授業するのが楽しい」と思えることは，本当に素敵だなって思えま
した。児童だけでなく，先生も楽しめる授業の工夫が大切だなと感じら
れる，いい授業でした。（高橋さん）

　そして，いよいよ最後は先生役をした滝沢さんの感想です。

　滝沢さんの隣に立っている僕は，ドキドキしてきました。滝沢さんは
「模擬授業をやってよかった」と思ってくれたでしょうか……。

　滝沢さんの第一声はなんと，「私はみなさんに，心から〈ありがとう！〉
を言いたいです」というものでした。そして，「私は人前に立つのがす
ごく苦手で，そんな私がみなさんの前で授業をしたのです
が，みなさんが温かく私の授業に協力してくれたので，私
は本当にたのしく授業をすることができました。本当にあ
りがとうございました」と続けたのでした。

　そんな滝沢さんの感想を，教室のみんなはとっても真剣な表情で聞い
ています。みんな，いい顔しています。

　僕は，そんな学生たちの様子を見て感動してしまいました。ジーンと
きて，思わず涙が出そうになってしまいました。

　みんなに向かって素直に，「ありがとう！」と言えるなんて，滝沢さ
んはステキだな！　きっと滝沢さんは，心からたのしい授業がやれたん
だなー！　あぁ，本当によかったー！

　それに仮説実験授業をしていると，目の前の子どもたちが躍動しはじ
めるので，教師の僕らがうれしくなって，元気になれて，ごく自然に，

心から子どもたちに「ありがとう」と言いたくなってしまうのです。その気持ちを，すーっと素直に口にできる滝沢さんは，やっぱりステキだなー！

　生徒役のみんなも，滝沢さんの問いかけにいっぱい反応して，意欲的だったなー。輝いていたなー。素晴らしいなー！

　そんな学生たちを目の前にして，僕はうれしくてたまらなくなったのでした。

　滝沢さんの話が終わった途端，教室中から拍手が起こりました。パチパチパチパチパチパチ……

みんなありがとう！

　授業を無事に終えることができて，私の頭の中にあふれ出てきたのは，「生徒役のみんな，本当にどうもありがとう‼」という言葉だけでした。いつもなら，失敗したことが先に出て後悔ばかりしてしまうのに，このときは，それ以上にみんなの反応や協力がうれしくて，「ありがとう！」の気持ちでいっぱいになりました。みんなが温かい気持ちで私の授業を聞いてくれていて，私にもそれが伝わってくるような感じがしていました。だから，とてもたのしく授業ができたと思っています。小原先生は，「滝沢さんの授業，よかったよー！」と言ってくれましたが，私は「みんながたのしそうに授業を受けてくれたから，うまくいったんだ！」と思いました。

　みんなの感想を聞いて，みんなすごくいいことを言ってくれて，本当に泣きそうになりました。「みんな優しい人たちなんだな」って思いました。また，私が「みんなにたのしくてわかりやすい授業にしたい」と思ってやったことも，うまくいった理由ではないかなと思います。こんなに大勢の人たちに私の授業を認めてもらったのは，まったく初めてだった

ので，とてもうれしかったです。

　模擬授業を無事に終えて，「自分の悪い点」「よかった点」がはっきりとわかって有意義な模擬授業ができたと思います。また，自分自身，人前に出て顔が赤くなるのが嫌でしたが，「そんなこと気にしてもしかたないぞ！」と思えるようになれました。

　模擬授業の経験者としてみんなに言えることは，こんなに緊張しやすい私でも，授業ができました！　だから，自信がないと言っている人も，完璧にやろうと考えないで，まずは一歩を踏み出してみてください。先生も言っていたけど，授業を上手にやろうなどと完璧さを求めなくていいんです。一歩を踏み出して，「たのしい授業」を経験することが大切です。これからの一生に残るはずです。それに，この教室には仲間や先生の多くのサポートがあるから，安心です。勇気を出して模擬授業をやってみてください。先生役の希望者がもっと出てくるとうれしいです。

　繰り返しになりますが，僕はこの理科教育法の講義で，まずは「学生たちに〈たのしい授業〉を体験してほしい」と思っています。そのうえで，できることなら「〈たのしい授業〉が私にもできるんだ！」という自信をもてるようになってほしいと願ってきました。なにしろ僕自身が授業書を使った授業で〈成功体験〉をして，「あーっ，こんなに子どもたちが僕の授業を楽しんでくれている！」「俺，これでなんとかたのしく教師をやっていけそう」と思ったのですから。

　そういうわけで，模擬授業の先生役が，「たのしかったー！　みんなが喜んでくれる授業ができてうれしい！」と言ってくれるなんて……，うん，僕はシアワセです。

学生の感想──

　・今回の滝沢さんの授業はとてもよかったです。声の大きさ，展開，反

応など，どれをとっても満点をあげれちゃいます。きっといい先生にな
るんじゃないですかね。僕の小学校の先生もこんな先生だったらよかっ
たなと思いました。僕は今日の《空気と水》の２つの問題とも間違えて
しまいました。でも，間違えたからこそ，いつも以上に驚かされて，と
ても楽しかったです。今日はいい天気だし，いい一日になるだろうなー！
最後の滝沢さんが話した感想に，ちょっと感動しました。（白坂君）

この日は，僕にとっても「いい天気で，最高の一日」になったのでした。

第2章 〈たのしい授業〉の成功体験を！
3 大学生の涙

　僕は大学で，授業の様子や学生たちの感想文などを中心に講義の様子を紹介する「キャンパスレポート」を発行しています。

　今回，模擬授業が始まるにあたって，「誰か，みなさんの中にもキャンパスレポートを作ってみたいという人はいませんか？」と学生たちに投げかけてみたところ，早速，関原君という学生が名乗り出てくれました。授業の様子がイメージできるステキな授業通信だったので，今回はこのキャンパスレポートを中心に，中山君と瀧沢君という2人の学生の模擬授業の様子を紹介したいと思います。

　2人には模擬授業の1週間前に，授業で使う教材となる授業書《空気と水》の〔問題1〕と〔問題2〕を予想し実験してもらっていました。そのときには，「これ，すごい!!　これ，たのしい！」なんて喜んでいたので，僕は，「きっと二人の模擬授業は成功するだろうな」と予想していました。

　一番バッターは中山君です（僕の模擬授業は1人20分程度の交代制で行っています）。

　中山君は授業をするにあたって，次の3つの目標を立てたそうです。

　①笑顔でいること　　②元気でいること　　③目を見て話すこと

　実際の模擬授業も，目標通り，笑顔で元気！　そして，「子どもたち」の反応に真剣に応えながらのさわやかな授業でした。

　それではこの様子を，関原君による「僕のキャンパスレポート」で紹介します。

僕の「キャンパスレポート」
学生による模擬授業スタート !!

　前回（11月11日）からいよいよ学生による模擬授業が始まりました。そんな記念すべき1回目の模擬授業を担当してくれたのは中川先生と瀧沢先生のお二人です！　授業のテーマは「空気と水」でした。はたしてどのような授業になったのでしょうか。

　まずは，中川先生が教壇の上に立ち授業がスタートしました。

　中川先生が問題を出す前からもう教室はにぎやかな様子で，「まだ（プリントを）表にしちゃだめなんですかー？」（笑）と明るい声が響いていました。

〔問題1〕　ここに，からっぽのコップがあります。

　このコップをさかさまにして，右の図のようにまっすぐ水の中に入れます。

　このようにしたら，コップの中に水が入るでしょうか。

予想

　ア．コップの中に水がいっぱい入る。（1名）

　イ．コップの中に水はほとんど入らない。（12名）

　ウ．コップの中に水が半分くらい入る。（2名）

　エ．そのほかの考え。（1名）

　中川先生はこの問題を出した後，みんながどのように予想したかを聞いていきました。たくさんの学生が手を挙げて討論に参加してきました。きっと中川先生の授業展開が上手で，みんな楽しんでいたから

でしょう。

　さあ，討論が終わっていよいよ実験です。学生を前に集めて，中川先生がコップを水槽の水の中に入れます。しかし，教室からは「先生！ぜんぜんわからなーい」「水が入ってるのか空気が入ってるのかわからない！」なんて声が聞こえてきました。しまいには「どうなってるんだ！　この授業は！」（笑）なんて声も。

　けれど，さすがの中川先生はすかさずに「じゃあ，実験してもよくわからなかったからどうしたら答えがわかるようになるのか，みなさん考えてみましょう！」と和やかに言いながら教室をおさめ，瀧沢先生にバトンタッチしました。

★中川くんは，テンポが良かったので授業に乗っていけました。声も大きかったし，学生のほうもよく見ていたので素晴らしかったです。100点でした。（滝田君）

★声が大きくて聞きやすかったし，一人一人の顔を見ながら授業を行なっていたので，とても素晴らしいと思いました。（長澤君）

●緊張しやすい瀧澤君

　2番バッターは瀧沢君です。

　じつは，瀧沢君は，緊張のためか中川君の授業のときからソワソワしていました。そこで僕は，みんなが中川君の授業の感想文を書いている最中に瀧沢君を実験準備室に連れていき，彼の肩をたたきながら，「まぁ，キラクにいこう。いつもの瀧沢君でいきましょう！　困ったことがあったらそばに僕がいるので何でもたずねてください」と声をかけました。そして，準備室にあった僕の白衣を彼に貸してあげました。

　そうして，いよいよ瀧沢君の授業の始まりです。白衣の瀧沢君が準備
室から登場し，教室のみんなに拍手で迎えられたのでした。

　教壇に立った瀧沢君。

　あれっ，身体がカチコチに固まっている！　教室のみんなは，模擬授
業前に僕がお願いしたとおり「小学 3 年生」になりきってワイワイ明
るくしてくれているのに，瀧沢先生だけがカッチン

コッチンに固まっている……。

　「先生，その白衣，サイズが合ってな〜い！　変だ
ぞ〜（笑）」

　「がんばれ！　瀧沢先生！」

　そんな瀧沢君を盛り上げようとしているヤジに
も，彼はうまく反応できません。

　じつは，瀧沢君は，緊張するとすばやい反応ができなくなるらしいの
です。後で本人が言っていたのですが，「緊張すると僕，口調がたどた
どしくなってしまって，うまく話せないんですよねー」とのこと。

　実際，今回の模擬授業のときも，たどたどしく説明する場面が何度か
ありました。

　さて，瀧沢君の実際の授業の様子はどうだったのでしょうか。再び，
関原君の「キャンパスレポート」で見ていきましょう。

　　そして，ここからは瀧沢先生の登場です。なんと白衣に身を包み，
　教壇の前に立つ瀧沢先生！「サイズ合ってなーい！」（笑）なんて明る
　い声が飛びかう中，緊張した様子で瀧沢先生の授業が始まりました。
　　中川先生の後を引き継ぎ，学生たちにアイデアを聞き始めると「水
　に色を付けたらわかるんじゃないか」といった考えが出ました。
　　「なるほどー！」瀧沢先生は早速，実験をしました。

　用意しておいたインクを水槽に入れ，かき回すものがなかったのか……瀧沢先生，手で水槽の中の水をかき回し始めました。これにはさすがに「先生，きたなーい！」と笑い声が響きました。

　その後に，いざコップを水槽の中に……すると，また学生たちから「先生，わからなーい！」の声。どうやら色を付けても，水槽の中の色が変わっただけで，コップの中に水が入っているのかどうかはわからないままでした。

　今度は1人の学生が「何かモノをコップの中に入れればいいと思います」「水が入ったらモノが浮くし，逆にモノが浮かなかったら水が入ってないってことになると思います」と提案しました。

　この考えに，瀧沢先生は「じゃあ，浮くボールを使ってやってみましょう！」と，コップの中に発泡スチロールのボールを入れて実験し始めました。……「おーすごい！」「わかった！」と喜ぶ学生たち。

　瀧沢先生が「イ，が正解だね！」と言うと拍手がおきました。

　その後も，「色のついたビンでやったらどうか？」という考えが出ました。これに対し「何色？」と答える瀧沢先生。教室が笑い声に包まれました。

　「これをやったらどうなると思う？」と瀧沢先生がみんなに聞くと「ビンに色がついても空気は変わらないから見えづらいと思います」と一人の学生が答えると，他の学生から「じゃあ，空気に色を付けたら……？」といった意見が続いて出てきました。空気に色をつけるなんて……という雰囲気になったところに「けむりー！」といった学生の声が。

　その流れのまま，タバコ喫煙者の学生のけむりをコップの中に入れていざ実験へ。実験の結果は……けむりは残っていたけど見えづらく分かりにくいものでした。

　このような討論の末，無事に〔問題1〕が終わり，瀧沢先生は「次の問題に移りたいと思います」と授業を進めていきます。

〔問題2〕 こんどは，コップに紙をつめて，おちてこないようにします。これを，まえの問題と同じように水に入れたら，紙はどうなるでしょう。

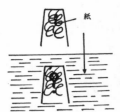

予想

　ア．ぜんぶぬれる。（1名→3名）

　イ．ぬれない。（10名）

　ウ．少しぬれる。（4名→2名）

「コップの中の8割ぐらい紙を入れます」と言った後に，瀧沢先生はどのように予想したのかをみんなに聞いていきました。

　その後の討論では，「コップを水につけたときに，水が蒸発して紙がぬれちゃうんじゃないかと思います」や「さっき，ぜんぜん水が入らなかったので紙はぬれないと思います」などといった考えが出ました。

　そして，瀧沢先生がコップに紙を詰めて水槽の中に……結果は，紙はぬれませんでした。

　ここで，瀧沢先生の模擬授業が終わり，中川先生と瀧沢先生の「空気と水」の授業はあっという間に終了しました。……〔続く〕

●瀧沢君の涙

　瀧沢君の模擬授業も無事終了。

　ところで，授業を終えて自分の席に戻った瀧沢君はとてもションボリとしているのです。近くの席の学生に「お疲れさま！」と言われても，か細い声で「どうも……」と答えるのがやっとのようです。瀧沢君は下を向いてうなだれています。

　じつは，瀧沢君でなくても，模擬授業を終えたばかりのときにため息をついてしまう学生がときどきいるのです。それは，「思うようにいか

なかったな…。これじゃ，授業が失敗だなー」などと勝手に思ってしまうからでしょう。

　そんな彼らに，僕はしばしば，「落ち込むのはまだ早いよー！　授業が成功したかどうかは授業を受けてくれた子どもたちが決めるんだもの。だから，勝手に判断しないでくださいよ。まずは，子どもたちの評価を聞いてからにしようね！」と話しています。

　だから，このときも，僕は，うなだれている瀧沢君を励ましたりすることよりも，まずは教室のみんなに，「瀧沢先生の授業への評価（感想文）」を書いてもらうことにしたのでした。

　さて，教室のみんなの感想はどうだったのでしょうか？

　授業の中では，数人の学生に感想を発表してもらいました。

　最初の男子学生はズバッと次のような感想を言ってきました。

　「瀧沢先生の授業はたのしく受けることができました。実験もみんなのアイデアをちゃんと生かしてやっていたので，よかったと思います。ただ，今後，改善したらいいと思ったのは，説明がもう少しスラスラ言えるようになるといいと思いました。たどたどしさがなくなるともっと良くなると思いました」

　次の滝田君の感想は――

　「いやー，僕は瀧沢君らしい授業になっていて，とてもよかったと思います。あのたどたどしさは（笑），授業を受けている生徒としてほっとするというか，ほほえましいというか，僕はたのしく授業を受けることができました」

　さらに，千葉さんが続けてきました。

　「私は実験がすごくたのしかったです。それに，瀧沢先生も瀧沢君らしさが出ていて，ゆったりしていて，気持ちよく授業を受け

ることができました」

　そんな学生の感想を聞いているうちに，この僕まですぐに感想を言い
たくなってしまいました。

　「たしかに，瀧沢君の授業はたどたどしくて，ほほえ
ましくて……ときにフッと笑ってしまうような授業でし
た（笑）。でも，瀧沢君の一生懸命さや誠実さが感じら
れるイイ授業でしたね。瀧沢先生の授業進行のおかげで，
授業書《空気と水》の世界を教室のみんなで気持ちよく
たのしめましたもの。それに子どもたちからのアイデア
や声に誠実に応えながらの授業だったので，みんなで授業を作り上げて
いるって感じがして，とってもよかったですよ！　僕は居心地がとても
よかったです」

　そんな感想を言っている最中に，……おやっ，瀧沢君の様子がおかし
くなってきちゃった。

　僕はビックリしました。まわりの学生たちも〈何が起こったのだ!?〉っ
て感じでザワザワしだしました。

　なんと，瀧沢君が目に涙をためているではありませんか。

　あれっ，瀧沢君，どうしたのかな？……

　ここで，再び，関原良平君が書いてくれた「キャンパスレポート」を
見ていきましょう。

　　★色んな意見を聞いてくれたので，子どもたちは嬉しいと思う。
　　瀧沢先生はちゃんと目を見て話してくれたのでよかった。また，
　　みんなの意見に対してリアクションを取ってくれていたのが面白
　　くてよかったし，とてもあわあわして焦っている様子が逆に子ど

もたちにとっては面白いと思った。（床井さん）

◎ 授業の失敗・成功は子どもたちが決めること

　模擬授業が終わって，その感想を意見交換している
ときに，瀧沢くんの目にはうっすらと涙が……。瀧沢
くんは日頃から緊張してしまうと，たどたどしくなってしまうと思っ
ていたそうです。そこが自分でも反省点だと感じていたそうですが
……そんな瀧沢くんに待っていたのは，みんなからの「そのたどたど
しさが瀧沢くんらしくて良い！」という温かい感想でした。

　そして，このキャンパスレポートで振り返ってみても分かるように，
瀧沢先生がいかに瀧沢先生「らしく」面白く楽しい授業をしていたか
が伝わってきます。ほとんどの学生が「面白かった！」「楽しかった」
と感想文に書いていました。

　授業の失敗・成功は自分（先生）が決めることではないのですね！
授業を受けた子どもたちが決めることなのです。

■ 編集後記（関原）

　小原先生が発行する「キャンパスレポート」に自分の感想文が載る
といいな，と日頃から口にしていたのですが，まさかこのような形で
自分の書いたもので載るとは思いませんでした。口にしてみるもので
すね（笑）。

　はじめは「原稿４枚も書けるかな…」なんて思っていましたが，模
擬授業の内容が楽しいと，原稿を書いているこっちまで楽しくて書き
足りないくらいになりました。正直，この環境で模擬授業ができる学
生は羨ましいなと感じました。中川先生も瀧沢先生も，次は子どもた
ちの前で，そのステキな笑顔で「たのしい授業」をしてください！

〔レポート終わり〕

●涙の理由

　ところで，瀧沢君には，教室のみんなが書いてくれた感想文を家に持って帰ってもらいました。そして，それを読み，あらためて瀧沢君自身の「模擬授業体験レポート（感想文）」を書いてもらったのでした。

　それが次の文章です。

涙が流れるくらいうれしかった！

　今日は，模擬授業をさせていただき，ありがとうございました。小原先生は模擬授業が始まる前に，こんなことをおっしゃっていました。「これからみんなにやってもらう模擬授業は，みんなに自信をつけてもらうための模擬授業だから」と。

　私はその時，「本当にそうなのか，そんな模擬授業があるのか」と信じられずにいました。ですが，今回実際に模擬授業をし，少し自分に自信がついていることに気がつきました。

　なぜ感想を聞いているときに涙を流したかというと，ずっと自分の短所だと思っていたことが，周りからは「それが瀧沢君らしさだよ」「良いところだよ」と認めてもらえたからです。正直言うと，今までにない感覚だったし，本当に嬉しく思いました。

　私が自覚していた短所とは，口下手で，たどたどしい口調になってしまうことでした。私はずっと「この短所を直したい!!」と思っていて，本を読んだり，人と話す機会を増やしたり，自分なりの努力はしていました。しかし，いつになっても口下手は直りません。真剣に伝えようと頑張っている相手に笑われたりすると，私も笑ってごまかすしかありませんでした。……自信が無くなる一方でした。

　でも今回の模擬授業の後のディスカッションで，あることに気づかされました。「私のそのたどたどしさは，自分らしさでもある」ということです。短所は自分らしさでもあるのです。それがあるから，みんなは

ニコニコして授業を受けていたのだと思います。また，何かを伝えよう
とする姿勢がみんなに伝わったのだと思います。そうした，自分の「ら
しさ」「個性」に気づくことができました。

　私が教師になってから，たくさんの子どもたちに出会う
と思います。その中にも，自分の短所が嫌いな子どもたち
はたくさんいると思います。そういった子どもたちにも
「短所は個性だ」と気づいてもらえるような授業ができる
教師になりたいと強く思いました。

　これからは自分の個性に自信を持って，生活していきたいです。そう
思えたのは，小原先生の「理科教育法」に出会えたからだと思います。
またひとつ，成長できた気がします。これからもよろしくお願いします。

　瀧沢君のうれしさが伝わってきて，僕までうれしくなってしまいます。
そして，自らを変革した瀧沢君が輝いて見えてきます。さらに，僕には，
教室の他の学生たちみんなもステキに思えてきたのでした。

4 授業書が切り開く 明るい未来

●おとなしい女子大生が抱いた違和感

今回，模擬授業の先生役になってくれたのは野口さんです。彼女はとってもおとなしい女子大生で，人前に立つのがとても苦手なようです。授業中に自分の考えを発言することなんて大の苦手。

そんな野口さんにとって，〈自分の予想をみんなの前に明らかにしなければならない〉〈討論の時間がちゃんととってある〉──そういう仮説実験授業に，最初は違和感を持ったようです。

野口さんは，僕が学生たちの模擬授業の前に数回行っている授業書体験でも，予想に挙手はしていましたが，討論で発言したり，疑問や質問，それに感想を言ったりすることはありませんでした。ところが，ある日の授業の感想文に，野口さんは次のような疑問を書いてきたのです。

質問があります。

どうして毎回予想を立てさせるのですか？

なぜ予想した理由を聞くだけで，黒板に書かなかったのですか？

どうして討論の時間を設けているのですか？

どうして実験の後に説明をしなかったのですか？

もしも子どもが「なんでー？」「どうしてー？」と聞いてきたら，先生はどう対処しますか？

野口さん

●討論が苦手な野口さんが意見発表！

　野口さんは，はじめ先生役に立候補してきませんでした。それでも次第に生徒役として，仮説実験授業をみんなと同じようにたのしんでくれているように見えました。

　そして，《ものとその重さ》第2部の〔問題6〕の（1）（2）のときです。なんといままで討論に参加しなかった野口さんが，自分から進んで意見を言ったのです。

〔**問題6-1**〕　はじめに，2つのメスシリンダーと，アルコールと水を用意します。アルコール50 ㎤ の中へ水50 ㎤ をそそぎいれたら，あわせた体積はどうなるでしょう。〔＊1 ㎤ 以下の誤差はがまんする〕

予想

　　ア．ちょうど100 ㎤ ぐらいになる。

　　イ．100 ㎤ より多くなると思う。

　　ウ．100 ㎤ よりも少なくなると思う。

　　エ．まったく予想がたたない。

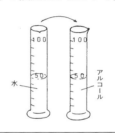

　この問題の（1）では，たいてい教室の大多数の子どもたちが予想をはずしてしまいます。初等理科教育法を受講する大学生たちも同じように多数派が予想をはずしました。

　実験結果を知って，多くの学生たちが「え〜っ，どうして?!」「どうしてそうなるの！」と，驚いていました。野口さんもそんな学生の一人で，すごく驚いた顔をして，とても悔しそうでした。

　さて，野口さんが意見を発表したのは，次の（2）です。

〔**問題6－2**〕　今度ははじめに，アルコールと水とを50㎤ ずつとっ
て，その重さをはかっておきます。アルコールはいれものごとで165 g，
水はいれものごとで175 g でした。このアルコールと水とをまぜあわ
せたら，その重さはどうなるでしょう。

予想
　ア．ふたつの重さをたしたものになる（ふたつのいれものごとで
　　340 g になる）。
　イ．ふたつの重さをたしたものよりへる。
　ウ．ふたつの重さをたしたものよりふえるだろう。
　エ．まったく予想がたたない。

　野口さんは，ここでは「イ」を予想しました。（1）の実験結果の「ウ」
に驚いた野口さんは，「今度こそ予想を当てるぞ」という意気込みで，「イ」
（＝ふたつの重さをたしたものよりへる）を選んだようです。「イ」は，少
数派です。それでも，何やら自信がありそうでした。そしてなんと，自
分から討論に参加してこう発言したのです。

　「アルコールに水を注ぐと体積は減ったのだから，重さ
　だって減るにちがいないと思いました」

＊

　このときの様子は，野口さん自身がレポートしてくれています。「仮
説実験授業における討論とは何か」と題したすばらしいレポートです。
そこには，〈それまで進んで発言してこなかった野口さんが，どうして
討論に参加する気になったのか〉という理由が書かれているので，少し
長くなりますが，紹介したいと思います。

仮説実験授業における討論とは何か

野口

1．発言したい！

　「こんなにも楽しい討論は初めてだ！」──私は初等理科教育法で，仮説実験授業を受け，衝撃を受けた。今まで，討論を楽しいと思ったことはなかったからだ。言いたいことがあっても，手を挙げることができなかった。しかし，仮説実験授業の討論は，「私も発言したい！」と思った。気づかぬうちに，仮説実験授業のおもしろさにひかれ，発言することは楽しいことと思うようになった。それは一体なぜなのか，考えてみることにする。

2．仮説実験授業における討論は，なぜおもしろいのか

（1）意見を受けとめてくれるという安心感がある

　私は最初から，発言したいと思ったわけではない。自分の発言を受け入れてもらえるのかと，不安な気持ちでいっぱいだった。小学生のころ，担任の先生に理由を聞かれて「なんとなく」と答えたことがある。すると先生は「〈なんとなく〉はいけません。何でもいいから，理由を言いなさい」と言った。それから私は，「みんなが納得する理由を言わなきゃ！」といつもプレッシャーを感じるようになった。

　しかし，「〈なんとなく〉でもいいんだよ」という小原先生の言葉で，とても気持ちが楽になった。もしかしたら，小原先生はどんな意見を言っても，受け入れてくれるかも……。実際，小原先生は全ての発言に耳を傾け，相槌をうってくださった。みんなも，意見がでると「そうだ，そうだ！」と賛成したり，歓声をあげたりしていた。発言にしっかり耳を傾けてくれるのだとわかり，不安な気持ちはい

つの間にか消えていった。

（2）他の人の意見を聞くことで，より考えを深められる

　以前の私だったら，自分が考えた意見に関係なく，多数派の意見に手を挙げていただろう。先生に当てられ，発言をしなきゃいけないのが嫌だったから。しかし，気軽に発言できる雰囲気に背中をおされ，発言する勇気がでた私は，自分が考えた通り，少数派に手を挙げた。《ものとその重さ》の〔問題6-2〕のことである。「アルコールに水を注ぐと，あわせた体積は減るのだから，重さだって減るに違いない！」。

　この発言に先生はいつも通り相槌をうってくれ，近くの席に座っていた友人は「だよね～！」と賛成してくれた。

　とても嬉しかった。「なんだ～，意外と発言するのも楽しいじゃん！」と思った。発言すると，他人の意見も気になってくる。なぜ，自分と意見が違うのか，なんでその人は，その答えにしたのか，知りたくて必死に発言を聞いた。「ふ～ん。あの人はそう考えたのかぁ。どっちが正しいのかぁ……」頭をフル回転させて考えた。結局，私は少数派を貫くことにした。

（3）間違っても大丈夫！

　いよいよ実験！　いつもは立ちあがるものの，教卓の遠くから眺めているだけだったが，今回は一番前に陣取ってしまった。とてもドキドキしているのがわかった。結果は……はずれ。アルコールに水を注ぐと，ふたつの重さを足したものになった。「わぁ～!!!」当った人たちが歓声をあげた。はずれた人たち（私も含め）は，がっくりと肩を落としながら，自分の席に戻っていく。

　しかし，私の心の中に，間違えた恥ずかしさというのは全くなかった。なぜなら，「なんで～？　体積は減るのに，重さは変わらない

の？」という疑問でいっぱいだったからだ。そして，真剣に先生の解説（「ものの体積と重さ」の話）を聞いた。こんなことは初めてだった。「仮説実験授業なら，間違ってもへっちゃらだ！　むしろ，間違った方がお得かも！」と思った。

3．まとめ　～仮説実験授業における討論とは何か～

・安心して発言できる場を提供するもの
・他人の意見を聞く力を身につけさせるもの
・思考をより活発にさせるもの
・知的探求心を目覚めさせるもの
・間違えることの素晴らしさを実感させるためのもの
・理論を子ども自身に発見させるためのもの

4．小原先生へ

「私も将来教師になったら，仮説実験授業をやってみたい」と思い，『仮説実験授業の ABC』（板倉聖宣，仮説社）と『はじめての仮説実験授業』（板倉聖宣，国土社，絶版）を大学の図書館で探して読みました。知れば知るほど，楽しい授業だと感じます。小原先生に出会えて本当に良かったです。貴重な体験をさせていただき，ありがとうございました !!!

●模擬授業の先生役にも立候補！

　なんと野口さん，「私も将来教師になったら，仮説実験授業をやってみたい」と思っていたのですね。それで，わざわざ大学の図書館で仮説実験授業関係の著書を調べ，借りて読んだというのです。すばらしいで

すね。

　最初は「仮説実験授業に抵抗がある」と
言っていた野口さんが，今では，仮説実験
授業が気に入っている。うれしいですねー。こうなると，「もしかして，
野口さんも模擬授業の先生役に立候補してくるかもしれないぞ」という
予感がしてきました。

　でも，僕は知らんぷりしていました。あせってはいけません。彼女の
気持ちの高まりを待ちましょう。気持ちがのらないのに押しつけちゃっ
たりしたら，彼女の意欲がしぼんでしまいます。彼女自身の自発性を信
じて待ちましょう。

　そして，最終講義の日が迫ってきたころ，ついに，野口さんが自分か
ら挙手して，みんなの前で，「私も模擬授業をやってみたいです」と言っ
てきたのです。すばらしい！　僕はワクワクしてきました。「きっと，野
口さんも〈授業する喜び〉を実感するだろうな」という予想が立ったか
らです。

　《授業書》は，「教えるに値する（＝学ぶに値する）〈授業内容〉」を示
してくれます。そして，さらに，〈授業の進め方〉も提示してくれます。
だから，安心して「先生役」がやれるのです。さらに，今学期すでに8
名の学生たちが「先生役」をやっていて，その誰もが，「授業する喜び
を実感することができた」と語っているからです。

　「うんっ，大丈夫！　野口さんだって，教室のみんなが喜んでくれる授
業をやっちゃうはずだぞ！……たのしみ！」──しかし，そうは思って
も，野口さんは人前に立つのが苦手な学生です。誰だって，黒板の前に
立ったときは緊張してしまいます。

　それに，教室には元気いっぱいの女子大生もいるし，声の大きな男子

もいます。やさしそうでおだやかな野口さん，彼らの元気さにめげずに最後までやりきれるでしょうか？　あれこれ考えていると，ちょっぴりドキドキ……もしてきました。

●野口さんの模擬授業，スタート！

　野口さんの模擬授業では，授業書《空気と水》の〔問題9〕と〔問題10〕をやってもらうことにしました。

〔問題9〕　穴が1つだけあいた空の缶を水の中に入れると，缶の中に水が入ってくるでしょうか？

予想

　ア．たくさん入るだろう。

　イ．半分くらい入るだろう。

　ウ．入らないと思う。

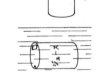

　はじめは緊張した様子でしたが，授業書を配り，「はいっ，みんなに渡りましたか？　それでは授業書をみてください！　はい，どうぞ！」と元気に言ったあたりから，落ち着いてきたようでした。

　予想の人数を数えるときも，学生たちの前に移動して，一列ごとにていねいに数えていました。一人ひとりの顔を見て数えていました。（おーっ，落ち着いているー。すばらしい！）

　「理由発表」や「討論」のときも，発言者の顔をちゃんと見て，笑顔でもって一生懸命に聞いていました。

　「あー，そうですか。ありがとうございます」

　「○○ということですね。ありがとう！」

　発言する生徒は，野口さんの顔を見て，安心して自分の考えを発表し

111

ていました。なお，〔問題〕の内容を説明したときに，ある学生から，「空の缶を水の中に入れるというのですが，どれぐらいの時間，水に入れておくのですか？」という質問が出ました。

　野口さんは，この突然の質問にも，落ち着いて，「どれぐらいがいいですか？」と聞き返していました。（おーっ，イイ答え方だ！）

生徒「10秒！」

野口「10秒ですか？　それでみなさんもいいですか？」

生徒「いや，10秒じゃ，短すぎる！」

野口「それでは，どれぐらいですか？」

生徒「う〜ん，1分！」

野口「はい，いいですよ。60秒ですね。それでいきましょう！」

　ところが，実際の実験になったときのことです。1つ穴があいている缶を水槽の水の中に入れても，全く反応がないのです。

　「水が缶の中に入っていっているのか，入っていっていないのか……？」「あわ（空気）が出てないから，水は入っていないのか……？」――10秒経過しても，変化は見られません。そこで野口さんは，「ちょっと模擬授業をいったん中断ね」と言って60秒待つのをやめてしまい，「どうですか，水は入っていますか？」と学生にたずねて，缶の中を調べ始めました。

　缶を水中からとりだして，逆さまにしても，水は出てきません。野口さんが「どうも，水は入ってないようですね！」と言うと，ある男子学生から，「先生，穴が1つでは，たとえ水が缶の中にあったとしても，水は出てきませんよ。その実験，先週やったじゃないですか！」という指摘を受けました。そう，前の〔問題7〕で，「ジュースの缶に穴を1つ開けて，さかさにすると，ジュースが出てくるか？」という実験があっ

たのです。

　まわりの学生たちも，「あっ，そうだよねー！　そうだ，穴が２つあいてないと中のジュースは出てこないんだったよ！」「そうか，そうか！」という声と笑いが湧き起こりました。

　野口さんはというと……野口さんも，まわりの学生と一緒に，「そうだよねー！　そうだね！」などと笑顔いっぱいでいるのです。そして，「じゃー，穴をふたつにしてみようね！」と言って，さっさとやってみて，明るく元気な声で結果を発表したのです。

「はいっ，実験結果は，やっぱり，水は缶から出てきません！　水は入っていませんでした。実験結果はウでーす！」

　この野口さんの明るい進め方が，すばらしい！

　次の〔問題10〕では，野口さんはすっかり落ち着いて，なんかニコニコと心から授業をたのしんでいるようでした。

　実験結果が「ア」を示して，みんな予想があたって喜んでいるとき，野口さんまで一緒になって笑顔一杯になっていました。

　この日の生徒役の学生の感想です。

　学生の感想――

　・明るく元気に接していたので，とても良かったと思います。緊張も見られず，勇気を出して先生役をやってみて良かったですね。実験では，生徒の意見を尊重していて良かったと思います。（萩原君）

　・野口さんは，意見を言うのが苦手だったりしたと，模擬授業前に言っていましたが，全然そんなことは感じさせないすばらしい授業だったと思いました。児童の意見を聞いているときに，真剣に相づちをうっているのが，安心感を与えるなと思いました。理由を求めて指名したときに，「○○君，教えてください」と言っていて，「〈教えてください〉という

言い方はいいな」と感じました。それから，「自信がある人はいません
か？」と聞いていて，こういう聞き方は小学生だったらさらに盛り上が
ると思うし，意見発表を促すキッカケになると思いました。（中谷さん）

●「挑戦して，本当に良かったー！」

この日の野口さんのレポートを見てみましょう。

模擬授業を終えて

　私が模擬授業をやってみようと思ったのは，仮説実験授業が好きに
なったからです。授業中に発言するのが苦手だった私ですが，仮説実験
授業を受けることによって，自分の思ったことをみんなの前で発言する
ことができました。友達が次々に模擬授業に挑戦していく様子を見て，
「仮説実験授業は楽しい！」という気持ちから，「こんなに楽しい授業を
私もできるようになりたい！」という気持ちに変わっていきました。

　しかし，すぐに立候補する決心がついたわけではありません。「人前
で話すのが苦手な自分に，模擬授業をすることができるのか」と不安だっ
たからです。

　この不安な気持ちをなくしてくれたのは，前々回の授業でした。討論
の時，発言することに抵抗がなくなっている自分に気づいたのです。少
しずつ自分が変わっているのがわかりました。「今の自分なら，模擬授
業ができるかも！」……そう思って立候補してみました。

　その日の授業が終わって，私は，小原先生の所へ行って，私がやる模
擬授業の内容を教えてもらいました。

　私が準備としてやったのは，ノートに目を通し，「これまでみんなが
やった授業の良かったところ」を思い出すことです。そして，他学部の
友達に協力してもらい，練習をしました。実際に練習したことで，「実
験結果を書く時間をちゃんととること」「〔問題10〕の実験は時間がか

かるということ」等……それまで気づかなかったことが見えてきました。これらを参考に、私は模擬授業の流れをイメージしていきました。

いよいよ本番。練習したおかげなのか、緊張せずにのぞむことができました。教壇の上に立つとみんなの顔がよく見えて、一体どんな意見がとび出すのか、とても楽しみになりました。

準備の時、缶を水槽に沈める時間を何秒にするのか迷ったのですが、みんなに意見を求め、それに従うことに決めていました。「何秒沈めたいですか？」という私の問いかけに対し、「60秒！」という声があがりました。「〔問題9〕は60秒もやったら、何も変化がなくて飽きてしまうけど、〔問題10〕は60秒でちょうど良いから……まぁいいか！」と考え、缶を60秒沈めることにしました。

模擬授業が終わった直後は、〈みんなにとって私の授業は楽しいものだったのかどうか〉は自分ではよくわかりませんでした。しかし、みんなの感想文を読んでみると、嬉しいことがたくさん書いてありました。

「授業がたのしかった」「表情が明るくてよかった」「板書がわかりやすかった」「授業のテンポがよかった」……等。

私は、心から「あぁ、模擬授業に挑戦して本当に良かったー」と感じました。

また、私が気づかなかったことを指摘してくれた人もいました。「缶に水が入ったのかどうかを調べるときに、缶についた水滴を拭いてから缶を逆さにすべきだった」「予想を考える時間をもう少し長くとるべきだった」「〔問題9〕の実験でなぜ60秒まで数えなかったのか疑問に思った」……など、とても勉強になりました。今後の参考にさせてもらおうと思います！

模擬授業を通して、私は少しだけ人前で話すことに自信がつきました。小原先生、佐竹先生をはじめ、模擬授業に参加してくれた教室の皆さんのおかげです。本当にありがとうございました‼

● 《授業書》が教師の明るい未来を切り開く

「あぁ，私，模擬授業に挑戦して本当に良かったー！」と書いている
野口さん。そんな心持ちになってもらえて，本当に良かったー。

実際，野口さんは，終始ニコニコしていて，とても心地良く授業をす
すめているようでした。そんな先生を前にして，生徒役のみんなも，気
持ちよく授業が受けられたんじゃないかな。

生徒がたのしそうに授業を受けていると，先生もさらにうれしくなっ
てイキイキと授業をすすめるようになります。すると，さらに生徒たち
も授業にノってくる。これは，まさに，〈生徒と教師のステキ循環〉で
すね。

ところで,野口さんの模擬授業のときの〈明るさ〉と〈元気の良さ〉に,
正直，僕もびっくりしてしまいました。

「へぇー，いつもはおとなしくてお上品な野口さんなのに，今は，す
ごく明るいなー。元気だなー！ ギャンギャン元気な学生たちの反応に
も臆しないで笑顔で応じているものなー！ 驚いちゃうなー！ 素敵だ
なー！」──こんな感想を，僕の講義を受講しながらお手伝いしてくれ
ている現役中学校教師の先生に話したら，「他の学生さんのときもそう
ですが，模擬授業で前に立つと，先生役のみんなが明るく元気になって
いますね。それは，《授業書》があるからではないでしょうか」と答え
てくれました。なるほど，たしかにそうだなー。

仮説実験授業は〈伝えたいこと〉と〈授業進行の流れ〉がはっきりし
ています。《授業書》があるからです。そして，その内容からして，生
徒たちに喜んでもらえそうな予感がいっぱいしてきます。だから，生徒
の前に立つ授業者たちは，不安をもたず，ゆったりと生徒たちの反応に
集中することができます。それで，いつの間にか，明るくなれちゃうの

でしょうね。その上, 生徒たちの反応を目の前にしたら, 授業者はますます元気になれるというものです。野口さんの授業も笑顔いっぱいのたのしい授業でした。

学生の感想――

・野口さんの仮説実験授業はとてもスムーズで, わかりやすくたのしい授業でした!! 声も笑顔もステキでした。みんなから出た意見にも, ちゃんともう一度分かりやすく言い直していたし, 1つ1つちゃんと受け止めていたのがよかったと思います。今日の野口さんの模擬授業を参考に, 来週, 私も頑張りたいと思います。(高山さん)

仮説実験授業は次々とまわりに〈笑顔〉と〈元気〉を伝染させているようです。《授業書》が教師の明るい未来を切り開いていくのです。

野口さんだけでなく, 他のどの学生の授業もみな,《授業書》に支えられた〈たのしい授業〉でした。先生役の学生はみな,「あー, やってよかったー!」と感想文に書いてきました。生徒役の学生たちからも,「たのしかった!」「ふつう, 模擬授業って退屈しちゃうのに, 小原先生の模擬授業はワクワクする」「空気と重さの実験にびっくりした」「友だちの模擬授業もみな, 小原先生がやった授業と同じようにたのしかった!」などと歓迎する感想がたくさん寄せられました。

そして, さらに,「これなら私だってできるかも……。私, 次の次くらいに先生役に立候補しまーす!」……などと言い出す感想文が次々と現れたのです。う〜ん, いいぞ! みんなが意欲的になっている。うれしいな!!

⑤ 教師の個性と授業書

●授業書を使って授業をすると〈教師の個性〉は？

　前期（4月〜7月）の初等理科教育法では，10名の学生に模擬授業の「先生役」をやってもらいました。そのうち，はじめの8名の学生が授業書《空気と水》の始めから終わりまでを順にやりました（他の2名は《浮力》）。教室には約35名の学生がいて，模擬授業のときは「先生役」が1名，残りの34名が「生徒役」になって授業が進みます。

　7月。学生10名による模擬授業が終わりました。そこで，前期の授業の最後のときに，僕は学生たちに次のような質問をしてみました。

　【質問】《授業書》を使った授業について，次のような疑問を抱く人や批判する人たちがいます。それは，「授業書を使った授業は，なんだかロボットのようで，その授業をする〈教師の個性〉が失われてしまうのではないか」「私は自分の個性を大切にして授業を行いたいので，授業書を使った授業はしたくない」というものです。

　さて，こんな批判・疑問に対して，みなさんはどう思いますか。あなたの正直な感想を聞かせてください。

　たとえば――

〈A－心配派〉……せっかく10名の「先生」が授業をやったのに，授業

内容は, 毎回同じ授業書の《空気と水》だったし, 授業の進め方も,「問題→予想→討論→実験（お話）」とワンパターンだったので,「私も教師の個性が失われていたことが気になっていた」「先生役の学生がロボットのようだった」などという感想が多く出てくるのでしょうか。それとも——

〈B－心配不要派〉……「そのような心配は必要ないと思う」「10 名の先生, それぞれの個性は失われてなんかいない」「ロボット化の心配なんてないと思う」という感想が多く出てくるのでしょうか。

みなさんは, 明星大学の学生たちによるアンケート結果は,〈心配派—A〉と〈心配不要派—B〉とで, どちらが多かったと思いますか。また, その割合はどれくらいだったと思いますか。

●学生の率直な感想文

じつは, なんと, 35 名の学生たちの全てが,「教師の個性は失われていない」「そんな心配は必要ない」「先生役それぞれの個性がちゃんと出ていた」と回答してきたのでした。

次の角田さんの感想文は,「正直, 私も, 学生たちの模擬授業を受ける前までは, 授業書を使って授業運営法通りやれば, みんな全く同じ授業になるのだから,〈教師の個性〉なんか出ないだろうと思っていました」という書き出しで始まっています。その続きは……

　　しかし, この半年, みんなの模擬授業を受けてみて, また, 私もやってみて, その思いはすっかり消えてしまいました。学生のみんなが, 自分の「個性」いっぱいの授業を展開したのです。

　　まず, 一人一人が自然に放つオーラから「個性」が感じられました。

穏やかな人・静かな人と元気ハツラツな人とでは，授業の雰囲気が全く違うように感じます。むしろ対極の立場と言えそうです。穏やかな授業であったり，元気で明るい授業であったり，どちらもその人らしさが出たたのしい授業でした。また，授業のすすめ方も，それぞれのちょっとした工夫が見えて，毎回新鮮さを感じることができました。また，良い意味で，所々にその人のクセが出ちゃうのですが，それも〈その人らしさの個性〉になっていたと思います。

　実際に模擬授業を受けていても，「あっ，この話し方，質問の仕方，受け答えは，○○さんらしいな！　良いな！」と思う場面が何度もありました。その中から，「あっ，これ真似したいな」と思うものがあったら真似しようと思ったし，「これは○○さんの個性で，私が真似したら不自然だから真似はやめよう」などと思ったりしました。このように，私は，いろんなことを学びながら，みんなの模擬授業をたのしんでいました。

　それから，私も授業書を使った模擬授業をやってみて思ったのですが，「自分の個性を発揮するかどうか」なんてことより，とにかく，「教室のみんなに授業をたのしんでもらえるかどうか」が気になってしかたなかったし，教室のみんなの感想文で〈私の授業がみんなにたのしんでもらえていたこと〉を知って何よりもうれしかったです。そして，「あー，私のことを誉めてくれている感想がある。あー，これがきっと私の個性なんだなー！」と思えたりして，自分に自信を持つことができました。

　最後に，授業書を使用した模擬授業を体験してはっきり言えることは，「授業書は，子どもたちと先生を〈たのしい授業〉へと導く方位磁石のようなもので，決して子どもや先生を〈無個性〉にするものではない」ということです。（角田さん）

　この角田さんと同じようなことを書いている感想文が他にもたくさん

ありました。

　あー，学生たちは自分で実感したことをもとに率直に感想を書いているんだなー。う〜ん，だから文章に説得力があるんだなー！

　僕は，学生の感想文に感心してしまいました。

●「まずは，挑戦してみる」

　ところで，「授業書を使う教師はロボットのようだ」という批判について反論する学生たちの感想もたくさんありました。たとえば，高橋さんは次のように書いています。

> **ロボットだなんて，むしろ逆！**
>
> 　この半年，10名の学生の授業書を使った授業を受けてきて，私は一度も「先生がロボットのようだ」などと思ったことはなく，むしろ180度逆で，毎回，先生の授業が個性的で，楽しみで仕方がなかったほどです。
>
> 　批判では，「教師の個性が失われそう」とありましたが，それはその人の想像で，実際に行われた授業書を使った模擬授業では，一人一人の個性が光っていたと言えます。《空気と水》の実験のとき，水に色をつけて見えやすく工夫する人がいたり，水の代わりにジュースを使う人がいたり，実験結果が出るのをみんなで歌を歌いながら待っていたり…などと，いくら授業書でやることは決まっていたとしても，その中に，いろんな工夫をすることができ，教師の個性は十分に発揮できていたと思うのです。
>
> 　また，授業書は，子どもたちみんなが「たのしい！　もっとやりたい！」と思えるような教材を研究して集められ，作られたものだから，たとえやり方が同じだとしても，子どもたちの側にしたら，「毎回，同じでつまらない」と思うようなことはないと思います。これは実際自分がこの

授業を受けて心から思ったことなので，自信を持って言えます。

　批判するのは誰にだってできると思います。しかし，今回のような批判は，実際に，この授業書を使った楽しい授業を受けていないからこそ出てしまうものだと感じました。イメージや固定観念にとらわれることなく，まずは，挑戦してみる。体験してみる。見てみる。そして，それからこのような疑問点について確かめて考えてみれば，きっと授業書のすごさに気がつくのではないかと思います。（高橋さん）

　なるほど，高橋さんが言うように，〈授業書を使った授業がどんなものであるのか〉ということを具体的にイメージできないでいるときには，ほとんどの人は，〈教師の個性が失われるのではないか…〉などと心配してしまうのでしょうね。同じ授業書を使って，同じような流れで授業を進めるのですからね。

　そこで，高橋さんは，「イメージや固定観念にとらわれることなく，まずは，挑戦してみる。体験してみる。見てみる」ことをススメています。「そして，それからこのような疑問点について確かめて考えてみれば，きっと授業書のすごさに気がつくのではないかと思います」と言い切っているのです。

　う〜ん，これも，説得力がある感想文ですねー。

●「授業書と〈教師の個性〉について」の苦い思い出

　ところで，僕はどうして，今回，先のような質問——「授業書と〈教師の個性〉について」の質問——を学生たちにしてみたのでしょうか？

　じつは，もう40年ほど前のことです。大阪で開かれた，とある授業研究会の席で一人の大学教授が，「授業書を使った授業では，教師の個性が出せないのではないか」「〈教師のロボット化〉につながるのではな

いか」などと批判してきたのです。

　その会場には参加者が200名ほどいましたが，その場では，直接そのことに反論する人は現れませんでした。

　（あれっ，どうして誰も反論しないのだろう？）――当時，20代だった僕は，その場にいて，心臓がドキドキしてきてしまいました。僕は仮説実験授業を始めたばかりで，子どもたちに自分の授業を「たのしい！」と言ってもらえて，うれしくてしかたなかった頃のことです。

　「あー，授業書を使うようになったら，俺，授業することのたのしさを知ることができたなー！　あー，俺，うれしいなー！」「だって，俺が俺らしく気持ちよく授業ができるようになったものなー！」

　こんなふうな気持ちでいたので，大学教授の「（授業書を使うと）先生が個性を出せなくなり，ロボット化されるのでかわいそうだ」という指摘が僕には全く理解できなかったのです。

　それで僕は，とっさに反論したくなったのでした。

　ところが，どのように言えばいいのか，さっぱり言葉が浮かんでこないのです。

　（う～ん，何て言おうかなー？　うまく言えそうもないなー…。でも，言わなきゃー悔しいな…）――僕の心臓はますますドッキンドッキン…してきてしまいました。

　そのとき，僕の気持ちは，「あのー，僕は《授業書》を使って授業をしていますが，僕自身はロボットって感じはまったくしないですよ。逆に授業書があるおかげで，僕は僕らしくのびのびと授業がやれるようになりましたよ。だから，余計な心配などしないでください」ということ

だったのでしょう。

いや，そんなふうにはまとまっていなかったなー。僕の心臓はドッキンドッキンしていて，たしか，あのとき，僕の頭の中に浮かんだ言葉は，「僕はロボットじゃーないでーす！」の一言だけだったかも……。結局あのとき，僕は恥ずかしくて，何も言えずに黙ったままだったのでした。

そんな苦い思い出もあって，今，僕は，「目の前の学生たちは，〈授業書と"教師の個性"〉についてどう考えるか」について問いかけてみたくなったのでした。ちょうど，学生たちは〈複数の「先生」による授業書を用いた授業〉を受けてきたばかりです。きっと学生たちは，自分の体験を元に正直な感想を書いてくれるに違いないと予想したからです。

なお，僕は，学生たちの率直な考えを知りたかったので，僕の〈思い〉は一切言わずに，先の質問を学生たちにストレートにぶつけてみたのでした。

●安心感があるから個性が出てくる！

次の菅原さんという学生は，授業書を使用した授業について，「個性が失われるというよりは逆に，良い意味で人それぞれの個性が出てくる」と書いています。そして，その理由についてもしっかりと考察しているのです。

授業書があるから個性が出てくる

私は，授業書を使用した授業について「個性が失われてしまう」という批判については，個性が失われるというよりは逆に，良い意味で「人それぞれの個性が出てくる」と思います。この半年間で模擬授業をした約10名の学生の授業を受けてきましたが，みなさんそれぞれの個性が出すぎるほど出ていたように感じました。だから，毎回の授業が楽しく，

全然飽きることなく授業を受けることができました。それは，授業書が楽しい授業へ導いてくれるので，その安心感から先生の個性が出てくるのだと思います。先生は，いかに生徒のみんなが気持ちよく授業を受けることができるかということだけに集中できるからです。

　また，「みんな同じでロボットのよう」という批判に対しては，模擬授業を行った学生一人一人がそれぞれ良い意味で皆違っていました。おもしろみがあったり，穏やかな感じだったり，柔らかかったり，温かったり…と全ての人が個性のある授業を行っていました。だから，決して「ロボット」とは言えないと思います。

　ところで，批判する人は「個性を大切にしたい」と思っているようですが，私も，先生の個性が満ち溢れるような授業は最高にステキだと思っています。これまで授業書を使った学生のみなさんの模擬授業を受けたり，小原先生の授業を受けて，それぞれの先生が個性に満ち溢れていてステキだなーと思ったのです。だから，これからは授業書を使った授業をどんどん取り入れていくべきだと感じました。（菅原さん）

　なぜ，「授業書を使用した授業だと，良い意味で，人それぞれの個性が出てくる」のか？　その理由を述べているくだりが僕は好きですねー。

　「それは，授業書が楽しい授業へ導いてくれるので，その安心感から先生の個性が出てくるのだと思います。先生は，いかに生徒のみんなが気持ちよく授業を受けることができるかということだけに集中できるからです」

　う〜ん，これは，授業をする側の気持ちから言って，〈ズバリその通り！〉ですね。

●「個性なんて，勝手に出ちゃいますよ」

　ところで，学生たちの感想文の中に，「〈教師の個性〉より〈子どもたちの反応〉のほうが重要」と指摘するものが複数ありました。次の平井君の感想文もその一つです。

教師の個性より子どもの笑顔

　授業書を使いたければ使えばいいし，使いたくなければ使わなくてもいいと思います。ただ，「個性が失われるから」「自分の個性を出したいから」という批判は的外れだと思います。授業書を使って授業を行った約10名の学生たちからは個性が溢れ出ていました。黒板の使い方，相づちのうち方，人数の数え方など，どれをとっても同じものはありませんでした。

　それに授業をする上で，一番に考えなければいけないことは，いかに教師の個性を出すかではなく，いかに子どもたちに授業を楽しんでもらえるかではないでしょうか。個性なんて，出したくなくても勝手に出ちゃいますよ。（平井君）

　最後の「個性なんて，出したくなくても勝手に出ちゃいますよ」という所が，何かオモシロイですね。実際，その通りですからね。

　僕は，学生たちの感想文を読んでいって，感心しまくりでした。そして，「なるほど，そう考えるといいのかー！」「すばらしいなー！」などと学ぶこともいっぱいありました。

　もしも40年前にこの「学生たちによるアンケート結果」が僕の手元にあったならば，僕は，きっと，あの会場で元気いっぱいに，「授業書と〈教師の個性〉」について，みんなの前で語ることができただろうなーと思えるのです。

＊

　最後に，板倉聖宣さんは「教師の個性と授業書」について次のような
ことを書かれているので紹介しておきます。

授業書と授業の法則性の追求

　……授業書というのは，〈教案 兼教科書 兼ノート 兼読物〉で，〈そ
の授業書に印刷されている指示のままにしたがって授業をすすめれ
ば，誰でも一定の成果が得られるように作られているもの〉というこ
とになります。

　こういうと，きまって「それは教師や生徒一人ひとりの個性を無
視するものだ」とか「教育をオートメーション化するものでよくな
い」という意見がはねかえってきます。「教案は教師ひとりひとり
がクラスの実情をふまえて作るべきものだ」というのです。一見す
るとそういう意見は全く正しいように見えます。じっさい，これま
での教育界はそういう考え方で支配されてきたのです。

　私たちは教育界におけるそういう常識を知らないわけではありま
せん。そういう常識の存在を十分承知した上で，あえてその常識に
反することをやろうというのです。そして「これまでの教育（学）
はそういう常識にとらわれていたからほとんど進歩することがな
かったのだ」といいたいのです。

　おそらく，昔は音楽の世界でも同じようなことがいわれていたと
思います。しかし，いまでは誰も「音楽家が他人の作曲した楽譜を
みて演奏するのは音楽の堕落やオートメーション化だ」という人
はいません。「すぐれた音楽をききたければ，即興曲をきくよりも，
すでに定評のある楽譜にもとずく演奏をきいた方がよい」というこ
とは常識となっているのです。それに，同じ楽譜でも演奏家の個性

や能力の差がでることも認められているのです。

　工業技術の世界でも同じことです。大昔はあらかじめ設計図を描かずに作ったものでも，今ではまず設計図を作って作業しますし，その設計図のパターンもだいたいきまっています。また医者が患者を診断するときも，医学界で認められたルールにしたがって，血圧や脈はくなどをしらべて患者を診ます。〔中略〕開業医がいつも自分独自の思いつきで患者を診断したり，投薬したりしたら，それこそおそろしいことになりかねません。

　音楽でも工業技術でも医学でも，一人ひとりの演奏家や技術者や医者の，そのときどきの思いつきよりもはるかにすぐれた法則性が見つけられているのです。そこで，そういう処方箋にしたがうことがプロの道とされているのです。ところが教育だけはそうなっていないのです。それは何故でしょうか。教育の世界では生徒の興味をかきたてたり思考を発展させる上での一般的法則性などというものがほとんどないのでしょうか。

　そういう一般的法則性があるかないか，手をこまねいていてもわかりません。じっさいにそういう法則性があると考えていろいろな試みをやってみて，そういう試みがみな失敗したら，「そういう法則性はないらしい」とあきらめるより他ないでしょう。しかし，そういう努力をせずに決めてかかるのはまちがっています。〔中略〕

　それでは，じっさいにやってみたらどういうことになるでしょうか。じつはこれはすでに実験ずみといってもいいのです。私たちはもう 20 年ほど前〔1983 年当時〕からそういう法則性の研究をもとにして「授業書」というものを作るのに成功しているからです。(板倉聖宣「授業書とは何か」『たのしい授業の思想』仮説社，77 ～ 79 ぺ)

本当の〈実験〉とは？

第3章　本当の〈実験〉とは？

1 〈実験〉ってな～に？

● **理科離れの原因は？**

　子どもたちの理科離れを克服する方法，それは，「理科の時間に〈実験〉をたくさんしてあげることだ」という考えが圧倒的に多いですね。教育委員会関係の方々も研修会の席で，「理科嫌いを少なくするためにできるだけ実験の機会を子どもたちに多く与えてください」などの発言が出てきたりします。実際，Ａ市教育委員会などでは，小・中学校の先生たちに「あなたは理科の時間にどれだけ実験を取り入れていますか？」「今後，どうするつもりですか？」などというアンケートをとって，暗に「生徒実験をできるだけ多くとりあげなさい」と催促しているようでした。

　さて，本当に，授業で（生徒）実験を多く取り上げると，理科好きが増えるのでしょうか。子どもたちはみんな「実験」が好きなのでしょうか。そこで，僕は，大学で理科教育法の時間に，教師の卵（大学生）たちと「実験」について考えてみることにしたのでした。

　まずは大学生たちに「あなたは小・中での理科の実験は好きでしたか？」とたずねてみました（人文学部の教育学科・心理学科の計100名の学生たち）。

　【質問1】　みなさんは，小学校，中学校の理科の授業のときの「実験」は好きな方でしたか。下のア～ウから選んでください。

よかったらその理由も教えてください。

　　ア．好きな方だった。

　　イ．嫌いな方だった。

　　ウ．どちらともいえない。

　さて，ア（実験は好きな方だった）を選んだ学生は，100名中，どれぐらいいたでしょうか？　次のどれでしょう。予想してみてください。

　　①約80名　　②約60名　　③約40名　　④約20名

　アンケート結果は，「ア．好きな方だった」が100名中39名でした。

　ところで，「ア．実験が好きな方だった」の理由は主に次のようなものでした。

ア … 39名
イ … 25名
ウ … 36名

・実験室だと手や身体を動かせるので退屈しないから。

・実験は，実際にやって目で見ることができるので，よかった。

・教科書をただ読んで説明だけの授業よりはよかった。

・教室で座って授業を受けるよりは，実験室に行けて雰囲気が変わるのでよかった。

・班のみんなでわいわいやれたので，たのしかった。………

　これらのアンケート結果を見て，みなさんはどう思ったでしょうか？

　ところで，ウの「実験が嫌いな方だった」という学生が25名もいました。教室の4人に1人が「嫌いな方だった」というのです。その理由を見てみると……

・実験結果が分かっているのをやるだけなので面倒だった。

・片付けと準備があるので嫌だった。　　・班別行動が嫌だった。

・楽しくなかった。　　・細かい作業が苦手

・実験の得意な友だちばかりがやっていたので嫌だった。

　次に，僕は学生たちに，次のような質問をしてみました。

> 【質問2】　みなさんが体験してきた実験の中で，「あー，これは感激したなー！」「実験してよかったなー！」と思えたものはあったでしょうか？　もしあったのなら，それはどんな実験だったでしょう。教えてください。

　すると，学生たちは次のような実験を挙げてきました。

・試験管でアイスを作った実験がたのしかった。

・べっこう飴を作ったとき。

・ある液を一滴たらすだけで水の色が変わった実験。

・ものの落ちる速さを調べた実験（いろんなものを落とした）。

・太陽の光を虫めがねで集めて黒い紙を燃やす実験。

・牛乳パックでカメラを作って，実際に写真を撮ったときの授業。

●実験が好きでも嫌いでもない理由

　次に，僕は「〈実験を好きとも嫌いともどちらともいえない〉と思っていたAさん」というお話を紹介しました。この教室でも，「質問1　実験は好きな方でしたか？」で，「ウ．どちらともいえない」と回答してきた学生が100名中36名もいたので，このようなお話を紹介して，学生たちの反応をみてみたいと思ったのでした。

「実験を好きとも嫌いともどちらともいえない」と思っていた A さんのお話

　A さんは，【質問 1】のア〜ウのうち，どれを選んでよいのかちょっぴり悩みました。なぜかというと，自分が小学校・中学校時代に体験した実験のことを思い出してみると，アの「好きだった」ような気もするし，イの「嫌いだった」ような気もしてきたからです。

　「教室で椅子に座って先生の説明を聞く授業よりは，みんなで実験室に行ってワイワイやれる授業の方がおもしろかったものなー。だとすると，アのような気もするし…」

　「でもなー，それは，みんなとおしゃべりできたり，場所が変わったり，めずらしい実験器具に触れたからであって，実験そのものがたのしかったわけじゃないものなー。だって，実験結果がわかっていることを試すような実験ばかりだったので，ワクワクすることはなかったし，それに，実験後にレポートでまとめを書かされるのが苦痛だったなー。う〜ん，だとしたらイのような気もするし……」

　そこで，A さんは，しかたなくウの「好きとも嫌いともどちらともいえない」を選んだのでした。……〔つづく〕

【質問 3】　A さんのお話をここまで読んできて，みなさんは，A さんの実験に対する気持ちをどう思いましたか。次の①か②の選択肢から選んでみてください。

　① 私も A さんと同じような気持ちだ。A さんに共感できる。

　② その他（「A さんの気持ちはよくわからない」など）。

　さて，この【質問 3】で①と回答してきた学生はどれぐらいいたでしょうか？

　なんと，100名中95名の学生が，「(ア) Aさんと同じような気持ちだ。Aさんに共感できる」を選んできたのでした。

① (＝Aさんに共感できる) の理由

・私は，はじめ，「実験が好きな方である」を選んだが，Aさんのお話を読んで，「私の気持ちと同じだー」と思った。確かに実験室でみんなとワイワイできたから，とりあえず「好き」を選んだのかもしれない。私も「どちらともいえない」ような気がしてきた。

・質問1で「実験は好き」と思ったけど，Aさんの話で「実験はたいして面白くなかった」「まとめが苦痛だった」ことを思い出した。

・私も友だちとのオシャベリやめずらしいものに触るのが好きだったから，Aさんの気持ちと同じだと思った。

② (＝その他) の理由

・私は実験が好きだったからAさんの気持ちとは違う。

・僕は教室の勉強の方がよかったからAさんとは違う。

・私は，勉強の場所が教室から実験室に変わっても理科は嫌いだったから。

　ここで，僕は改めて学生たちに「実験とは何でしょう？」と問いかけてみました。

> **【質問4】** ところで，〈実験〉とは何なのでしょうね？　〈実験の目的〉って何なのでしょう？　みなさんはどう思いますか。

　学生たちの回答は主に次のようなものでした。

・実際に体験すること。

・教室で習ったことのまとめ。

・経験して学んでいくこと。

・今まで知らなかったことを実験する中で発見することができる。

・教科書で学ぶだけでなく，実際に目で見て確認・実感すること。

●本当の意味での〈実験〉とは

　僕は〔Aさんのお話〕の続きを読みました。

> 　Aさんは，小・中・高のときも，大学生になってからもずっと，あらためて「実験とは何か？」などと丁寧に考えたことはありませんでした。漠然と「実験とは，実験器具を操作することかな」と思っていました。
>
> 　ところが，Aさんは，大学を卒業した後，教職への道をめざすようになったときに板倉聖宣さん(仮説実験授業の提唱者)の「実験論」に出会いました。そして，実際に仮説実験授業の〈実験〉を体験してみて，「あー，実験とはこういうものなのか」ということを初めて知ることになったのです。……

　ここで，まずは学生たちにも，実際に仮説実験授業の〈実験〉を体験してもらおうと思いました。授業書《力と運動》(1 力と加速度)の中の次の問題です。

> 〔**問題2**〕　200gの木を平らな板の面にのせて，横にひっぱって動かすことにします。どのくらいの力がいると思いますか。
>
> 　**予想**　木を上に持ちあげる力(200g分の力)とくらべて……
> 　　ア．同じくらいの力で動く。
> 　　イ．それより大きな力がいる。

> ウ．それより小さな力で動く。
>
> **討論**　どうしてそう思いますか。みんなの予想をだしあって討論し
> ましょう。

　まずは学生たち全員に予想を立ててもらいまし
た。学生たちの予想は右のように分かれました。
次に，学生たちによる討論の始まりです。

予想分布
ア …… 17名
イ …… 38名
ウ …… 45名

小林君（ア）　僕はアだと思います。同じ木で実験
するのだから，上だろうが横だろうが動かす力は
同じような気がするからです。

黒沢君（イ）　いや，横に動かす方がさらに何かしら
の力が余計にかかると思う。だから，イだと思う。

北村君（ア）　はい，イに反論！　上にひっぱるより
横に動かす方が負荷がかからないと思う。だから，
結局はほぼ同じ力で動くと思います。

菅原君（ウ）　僕は，アもイもおかしいと思
う！　これはシンプルに考えましょう（笑）。物っ
て横に動かす方がラクに決まってるじゃない
の！　だから，これはウでいきましょう！

菊池さん（イ）　はい，反論です！（笑）。私はイです。
木を横に動かすとき，その動き始めにちょっと力が必要
です。それ，たしか「まさつ力」と言います（「おぉ〜！」
というどよめきと笑い）。ということは，木の重さに摩擦
力をプラスするから，これはイだと思います。

河野君（**ウ**）　はい，反論！（「おぉ〜！」）。たしかに，
木を横に動かす場合，木と机の間に摩擦力が関係する
と思います。でも，この場合，木は机にのっているの
で木にかかる重力は考えなくていいので，その摩擦力
に勝つだけの力があれば木は動き出すと思うので，こ
れはウの少しの力でいいのだと思います。

　さて，このあとの討論の様子は省略しますが，このように討論が白熱
し，かつ予想が分かれていると，実験が待ち遠しくなります。実験の瞬
間，教室の誰もがワクワク・ドキドキしてきます。

　さーっ，いよいよ実験です。

　僕は，バネを持った手をそーっと横に引っ張っていきました。
すると，ちょっと横に動かしただけで，木はスーッと動き出したのです。

　「実験結果は，ウでーす！」僕は大きい声で発表しました。

　すると，「やったー！」と喜ぶ声，「えっ〜！」と驚く声で教室がにぎ
やかになりました。うれしそうにパチパチ…と拍手をしている学生もい
ました。

　この後，僕は授業書の中の「摩擦力」の話を簡単に紹介しました。

●胸をワクワクさせてたしかめるのが本当の〈実験〉

　ここで，僕は板倉聖宣さんの「実験について」というお話を学生たち
に紹介することにしました（長い文章が苦手な人は次ページの＊印から読
み始めてください）。

講義ノート　　科学でいう観察とか実験というのは，ただ「よく見る」とか「やってみる」とかいう行為をさしているものではありません。「こうかな，ああかな」とか「こうなるだろうか，ああなるだろうか」とかと予想をたてて，その予想があっているかどうか「実際に験す」とか「よく観て察する」とかいうのが科学上の実験・観察というものです。

「そんなことはあたりまえで，ことさらいうまでもないことだろう」という人があるかもしれません。たしかに，これはあたりまえなことでしょう。しかし，このあたりまえなことを念頭において，これまで学校でやられてきた実験とか観察とかいうものを思いなおしてみると，その大部分は実験とも観察ともいえないものであることがわかります。

よく学校で，ウサギや金魚を目の前において，「ようく観察しなさい」などといっている先生を見うけます。ところが，子どものほうは，「かわいいな」「きれいだな」とは思っても，それ以上のことは観察できないのがふつうです。それでも，「ようく観察しなさい」「なにがわかりましたか」といわれるものですから，子どもたちは困ってしまいます。

*

「もしかすると，……かもしれない」という考え，それを「仮説」といいます。「仮に正しいとする説」「仮の説」というわけです。仮説はまだそれが本当に正しいかどうかわからないのですから，それを正しい考え・理論とごっちゃにしてはいけません。その仮説が本当に正しいかどうか，事実によって確かめてみなくてはいけません。

「仮説が本当に正しいかどうか確かめてみる」試み，それが実験です。

てんびんや試験管やその他いろいろのものめずらしい科学装置を使って，なにかめずらしいことをやってみるのが実験だと思っている人が少なくありませんが，そんなことはありません。前にも書い

たように，多くの人が学校でやった「実験」と称するもの，それは，大部分が実験の名に値しないものだといってよいでしょう。確かに，手を動かしてはいるが，その実験でどんな仮説が正しいといえるのか，胸をワクワクさせながら実験しているということはごく稀なことだからです。

「実験とは本来どういうものか」ということは，なにも言葉でいわなくても，本当に実験の名に値するものを何回か経験してもらうと，すぐにわかります。

そのためには，「実験すれば，答えが明確にでるが，実験する前には人によって考え方が大きく分かれるような問題」——たとえば，「木片を板の上で横に動かすのに要する力は，地球の引力とくらべて大きいか小さいか同じか？」といった問題を出します。こういう問題は，今のおとなでも子どもでも，大部分の人が確信をもって正しい考えをだせないのが実情です。

だから，人びとの予想は大きく分かれます。そこで，話し合い，討論をすると，いろいろな考えがでてきます。つまり，それぞれの人の仮説の全貌がはっきりしてくるのです。

こうして予想を出しあったり，討論していると，その後の実験の結果をみるとき，胸がワクワクしてきます。そういう，結果がたのしみでワクワクするような実験をいくつか経験すると，誰だって，これこそが本当の実験だと思うようになるのです。（板倉聖宣著『科学新入門 大きすぎて見えない地球 小さすぎて見えない原子』仮説社，2005年，より。なお，下線部は講義内容に合わせて小原が変更してある）

このお話を読んだ後，僕は学生たちに次のように投げかけました。

【質問5】　さて，あなたは，この文章を読んで，どんな感想を持ったでしょうか？　あなたの感想を聞かせてください。

　　ただその前に，もう一つだけ〈問題→実験〉を体験してみてください。その後に，あなたの感想を教えてください。

　時間がまだ十分にあったので，学生たちにもう１つ問題を体験してもらうことにしました。授業書《力と運動》第２部の〔問題４〕です。

〔**問題4**〕　おもちゃの車があります。上のつつからばねじかけで，ビー玉を真上に打ち上げるようにできています。この車が一定の速さでまっすぐに走っているとき，つつから真上に打ち上げたビー玉は，どのへんに落ちてくると思いますか。

予想

　　ア．つつより前方（進行方向）に落ちる。

　　イ．つつより後方に落ちる。

　　ウ．ちょうどつつの中に落ちる。

討論　どうしてそう思いますか。みんなの予想を出しあって討論しましょう。

　教室の学生たちの予想は，イとウの二つに割れました。こうなると，イとウの言い負かし合いの始まりです。

予想分布
ア ………0名
イ …… 62名
ウ …… 38名

　予想イからは，「ビー玉が打ち出されてからも，車は動き続けているのだから，後ろに落ちそうな気がする」という理由

が出されました。

　予想ウの学生は，「新幹線の中でジャンプしても後ろに着地したりしないので，この実験でもビー玉はつつの中に落ちるような気がする」と主張してきました。

　すると，イの学生からすぐに反論です。

　「いやー，動いている船の最後尾でジャンプしたら，後ろに落ちて海の中にジャボーンと落ちちゃうよー！」（笑）

　予想ウの学生も負けていません。

　「電車の中で真上に何かを投げても真下に返ってくるはずです。それは電車が動いていると同時に中の椅子も空気も全てのものが動いているので，たとえ，その中の何かが上に放り投げられても，それも電車と一緒に動くので，ちゃんとそのものも真下に落下してくると思います」

　さらに討論は続いていましたが，そこは省略して，いよいよ実験です。

　学生たちの視線はおもちゃの車に集中しました。同じスピードで動いているおもちゃの車のつつからポンッとビー玉が打ち上げられました。そして，次の瞬間，その打ち上げられたビー玉が落下してきて，みごと元のつつの中にストーン！と入ったのです。

　「おーーっ！　すごい！」「ほんとだ！　入った！」……。

　教室中が大騒ぎになりました。

　その後,僕は簡単に授業書の中の「慣性の法則」の話を紹介しました。

●本当の〈実験〉にふれた学生たちの考えはどう変わった？

　次に，先の〔質問５〕への回答と，「今回の講義全般の感想」を学生たちにお願いしました。

　さて，学生たちは今回の講義を通して〈実験〉についてどんな感想を

141

持ったのでしょうか。「〈実験〉について学んでよかった」と思ってくれたでしょうか。そして，講義全体をたのしいと思ってくれたでしょうか。何人かの感想文を紹介します。

●実験の思い出がない──

　私は小・中学校のときの理科の実験について，印象に残っているものはほとんどありません。実験の思い出がないのです。今回，先生に質問されてこのことに気がつき，とてもさみしくなりました。理科が嫌いだから覚えていないのか，実験というものを通して何かを学んだ，感動したという経験がなかったからなのか，それもわからないのです。

　ところが，今回の講義の実験を含め，これまで一年間，小原先生の初等理科教育と理科教育の授業でやった「実験」はとても鮮明に覚えているのです。それは，自分で予想を立て，みんなで討論をし，どれが正しいのかをドキドキしながら自分たちの目で確かめた実験だったからです。実験結果が出たときにみんなでもって感動したこと。そこに自分の発見があったこと。これは私にとってはじめての体験でした。このように，私は大学ではじめて「実験」に出会えました。

　私が教師になったら，私のような「理科嫌いの小学生」を作らないためにも，私が経験したような教科書や先生にただやらされるような「実験」ではなく，予想や仮説を確かめるようなワクワクする「実験」を子どもたちに体験させてあげたいです。仮説実験授業のような知的好奇心をくすぶるような授業をしてあげたいです。（澤崎さん）

●実験とはこうあるべき！──

　小・中学校のときは，答えを予想し，討論をしてから実験するというようなワクワク・ドキドキしたものではなかったので，「実験」をしたというような気になりませんでした。たとえば，「この液体に別の液体

を加えると色が変わります。さぁー，みんなもやってみよう」というようなもので，ドキドキもワクワクもなく，ただ作業をやらされている感じでした。教科書を見れば答えもわかっていたので，実験がめんどうでたのしくなかったのです。

　しかし，今回の講義のように，実験をする前に予想をし，みんなで討論をすると，いろんな仮説がわかってきて，とても興味がわくと共に，実験のとき，「どれが正しいのだろう」とドキドキ・ワクワクしてきました。本来，「実験」とは，こうあるべきだなと思いました。このような実験を行えば，子どもたちも心の底から「実験がたのしい！」「理科がたのしい！」と感じることができるだろうと思いました。

　私自身，これまでの理科教育法の講義で理科が好きになっていたのですが，その好きになったわけが今日の講義でもってよくわかりました。そのわけは，この「実験とは何か？」にあったのです。私自身も，先生になったら，子どもたちに「本来の実験」を体験してもらえるような授業をして，理科が好きになってもらいたいと思いました。（木村さん）

●実験らしい実験に出会えた──

　今日の実験もそうですが，直感で思いついた予想の方が良いときもあるし，直感ではなくこれまで習ったことや多方面からいろいろな具体例を出しながら考えた予想の方が良いこともあるし，私はどんどん仮説実験授業の魅力に引きつけられていきます。じつは，私が小学校のときに受けた理科の授業もこのように仮説を立てて予想し実験するもので，とてもたのしかったのです。その先生の名前は，小川　洋先生*!! です。

　ところが，中学の実験からつまらなくなりました。レポートや次のペー

---

* 小川　洋さんは東京都の元小学校教諭。著書に『空見上げて〜新人育成教員日記』（仮説社，2015年）があり，現在は明星大学で初等理科教育法の講義を担当しています。

ジに答えが書いてあるのに教科書の実験をやらされたりしたので，小川先生の授業のようなワクワク感が全くなくなりました。

　それが大学のこの講義で再び，実験らしい「実験」に出会えました。

　子どもたちにも，「仮説が本当に正しいかどうか確かめてみる実験」に出会わせてあげたいです。そのためには，予想をたててもらい，討論し，実験する授業を行うことが大切なんだと思いました。

　実験とは，新しい真実の発見と，科学への入り口だと思います。「これはどうなるのだろう？」という疑問から，予想をたてて，まわりと討論し，仮説を言い合って，「どれが正しいのか」を実験して確かめる。このことが，子どもたちに科学への興味をもたらすのだと思います。

（山田さん）

　ここでは紹介しきれませんでしたが，なんと教室のほぼ全員の学生たちが，「“実験とは何か”について改めて学ぶことができて，とてもよかった」「“実験”の本来の意味がはじめてわかった」「たのしい授業だった」という感想文を書いてくれました。

　うれしいですねー。

　なかには，「実験をただ増やしても，子どもたちは理科を好きになるとはかぎらないと思った」などという感想文があって，教育現場の〈常識〉を問い直す機会にもなったかな，と思えました。

　僕自身，あらためて「実験とは何か」について考えることができ，シアワセな講義になったのでした。

第3章 本当の〈実験〉とは？

② 人の認識を変えるのは〈権威〉か〈実験〉か

●説得力がある意見なのに

授業書《空気と水》を使った模擬授業でのことです。

授業者（先生役）の小川君が〔問題7〕の意味を説明し，学生のみんなに予想をたずねました。

学生たち（教育学部社会科コースと国語コースの2年生たち15名）の予想分布は次のようになりました。

> 〔問題7〕 ジュースの缶に小さな穴を1つだけあけてさかさまにしたら，ジュースは出てくるでしょうか。

予想

 ア．いきおいよく出てくる。…………… 5名

 イ．出てこない。………………………… 3名

 ウ．ぽとぽと続けて出てくる。………… 7名

最初に小川先生は，少数派であるイの学生に「どうしてイを選んだのですか？」とたずねました。

すると，大坂君がニコニコ笑いながら，「この教室の〈博士〉である湯川君がイを選んでいるので，僕もイにしました」と答えてきたのです。

教室にドッと笑いが起こりました。

じつは，このクラスで仮説実験授業が始まってすぐに1番目立って張

り切り出したのが，湯川君という学生なのです。討論のたびに，必ず意見を発表し，それがしばしばみんなを唸らせる内容のものだったりするので，あるときからみんなに，「おーっ，湯川君，すごい！ まるで理科の博士みたいだ！」「よっ，湯川博士〜！」などと言われるようになったのでした。

そんな湯川君，この日も，教室の仲間から「博士がイなので，僕もイに予想しました」などと言われ，思わずニンマリ笑顔になったのでした。

小川先生は，「それでは，次に〈博士〉（笑）に，予想イの理由を言ってもらいましょうか」と湯川君を指名しました。

（おっ，先生役の小川君もナイスじゃない。イイ流れを作っているじゃないの……）

湯川君が理由を発表し始めました。

湯川君（イ） 僕は醤油さしをイメージしました。醤油さしには穴が右と左に二つあいています。だから，醤油がうまく出るんです。ところが，もしも穴がどちらか一つだったら，空気が入るところがないので，醤油は出てこないはずです。だから，これはイの〈ジュースは出てこない〉だと思います。

（おーっ，すごい！ さすが博士〜！ 「空気と水の関係」に触れながら予想を立てている。これ，すごく説得力あるかも）

さて，イへの予想変更者は現れるでしょうか？

余談ですが，ある日の授業の後に，湯川君は1人僕の所にやって来て，「先生，僕，本当は理科，得意なんかじゃないんですよー。この授業だとノーミソが勝手に動きだして，思わず意見を言いたくなってしまうん

です。これまで理科が苦手な方だったのに，何か，みんな，僕が〈理科が得意〉みたいに勘違いしているようで……，小原先生も僕のことをそんな目で見ているような気がして……（笑）」などと話しかけてきたのです。

　僕は，「そうですか，ところで，そんなふうに思われている自分のこと，湯川君は好きですか，嫌いですか？」とたずねてみました。すると湯川君，すごく照れ笑いをしながら「嫌いじゃないです」と答えてきたのでした。

●予想変更者は現れるかな？

　小川先生は，次に予想アとウの学生たちに理由をたずねていきました。まずは，アの学生です。

> **学生（ア）** 穴が開いているのだから，ジュースが出てくるのは当たり前でしょう。だって，そこに穴があるのだから！　そこに道があるのだから‼（笑）

次に，予想ウの学生の理由発表です。

> **学生（ウ）** 穴があるからジュースが出てくるのは当たり前だけど，その穴はくぎが通るくらいの小さな穴なのでしょう。だったら，ジュースはぽたぽたと出てくるのだと思います！

　続いて，仲代さんという学生が，「私は，これ，自信がある！」と宣言しながら，予想ウの理由発表をしてきました。

仲代さん（ウ）　私の家でよく飲んでいる豆乳は，
四角い容器の上の所に穴が 1 つ開いていて，そこ
のテープをはがしてから，容器を傾けて豆乳を出
しているのね。そのとき，豆乳がぽとぽと……と
出てくるよ。いつもぽとぽと……だよ。
だから，これはもう，ウだと思います！

「へぇ～, そうなんだー !?」「やっぱり〈ぽたぽた……〉かもな～」「え
～っ, そうかな～？」……まわりが騒々しくなってきました。

「それでは，これからみんなで討論しましょう」

小川先生がみんなにこう投げかけました。

「みなさん，ぜひイイことを言って，自分の予想の味方を増やしてく
ださ～い！」

すると，すぐに元気いっぱいに「ハイっ！」と手を挙げてきた学生が
いました。湯川君です。

（おーっ，やっぱり博士だ～！）

湯川君は,「さっきと同じことをもう一度言います！」と前置きして
話し始めました。

湯川君（イ）　だから，穴が 1 つだけだとジュースの
缶の中に空気の入れるところがないんです。空気が入
れないのだから，ジュースは外に出れないじゃないで
すか。だから，これは絶対イなのです !!

教室がシーンと静まり返りました。みんなは〈博士〉に圧倒されたの
でしょうか？

　次の瞬間です。予想変更者が現れました。大坂君です。予想のときに，「〈博士〉がイなので，僕もイにしました」と言っていた大坂君なのです。

　「あのー，僕，イからウに変更します！」

　教室から少し笑いが起こりました。

　ここで小川先生が「あれっ，大坂君はどうして変更する気になったのですか？」と尋ねると，大坂君は「あの〜，僕，湯川君の言っていることがよくわかりませんでした（笑）。それに比べて，予想ウの仲代さんの〈豆乳〉の話の方がなにかとても信用できると思ったからです」と答えたのです。

　これに同調するようなつぶやきがいくつか聞こえてきました。

　「私も，〈醤油さしの話〉よくわかんなかったんだ〜！」「俺も〜！」「私も〈豆乳〉の方が信用できると思った」

> （あぁ〜，おもしろいな〜！　湯川君の話は〈理にかなっている〉〈筋が通っている〉と僕は思ったけど，そう簡単には納得してもらえないんだな……）
> （そういえば，仮説実験授業の討論ではこういう光景がときどき見られるなー。おもしろいなー）
> （それに学生たちは，〈博士〉の権威にもなびかないで，自分の感覚や自分の思いを大切にしている。すばらしいなー！）

　学生の模擬授業を見学しながら，僕は一人思索をたのしんでいるのでした。

　この後，討論が少し続いたのですが，結局最後まで「イ．ジュースは出てこない」への予想変更者は現れませんでした。

　最終的な予想分布は，

　　　ア．いきおいよく出てくる。　……5→5名

　　　イ．出てこない。　　　　　　……3→2名

　　　ウ．ぽとぽと続けて出てくる。……7→8名

　……というふうになりました。

　そして，いよいよ実験です！！

　小川先生は，みんなの「3・2・1・ゼロ！」という合図に合わせて，ジュースの缶を逆さまに傾けました。

　「どうですか，ジュースは出てこないでしょう!! だから，結果はイで〜す！」

　「え〜っ，そんなぁ〜?!」「出てこないなんて不思議！」「オモシロ〜イ！」……実験結果を見て，さらに教室がにぎやかになったのでした。

●今度こそ説得できるかな？

　次は〔問題8〕です。さっきは穴が1つですが，今度は2つです。

　授業者（先生役）は田原君にバトンタッチです。田原先生は，みんなに見えるように，くぎと金づちでもって穴をもう1つあけました。

〔問題8〕　今度は，缶にもうひとつ小さな穴をあけてやります。今度はどうなるでしょう。

　「さぁー，今度は穴が2つね。この場合はどうなるでしょう？」学生たちの予想分布は次のようになりました。

　予想

　　　ア．いきおいよく出てくる。　……3名

　　　イ．出てこない。　　　　　　……6名

　ウ．ぽとぽと続けて出てくる。……6名

　今度はイとウが多数派です。それぞれの学生たちによる主な理由は次のようなものでした。

ア：「なんとなく」「前の実験では〈出なかった〉ので，今度こそは出て
　　ほしいと思ったから！」

イ：「缶にあけた穴の大きさが，前の実験の時の穴の大きさと全く同じ
　　だから，今度も出てこないと思った」

ウ：「さすがに今度は出てくると思う。でも，穴の大きさからしてぽと
　　ぽと……だと思う」

「それでは，討論を始めましょう！　相手の予想の人をやっつけるの
でもいいし，自分の味方を増やすように頑張るのでもいいし，みんなで
言い負かしっこをしましょう！」

　田原先生がみんなに討論を呼びかけました。

　はじめは，主に「ウ．ぽとぽと続けて出てくる」の学生たちが，活発
に意見発表をして盛り上げてくれました。

　　学生（ウ）　ジョーロには穴がたくさんあいていて，
　　穴から水が勢いよく出ます。だから，穴が複数あ
　　いていれば，水はちゃんと出てくると思う。でも，
　　ジョーロみたいに穴がたくさんないときは，水は勢
　　いよく出ないような気がします。たった2つの穴で
　　は，ぽたぽたと出てくるような気がしました。

　続いてひょうきんで明るい大坂君が，やはり予想ウの理由発表をして
きました。

大坂君（ウ）　僕もウです。僕は，身近なもので「穴が
２つあいているものってどんなものがあるのだろうか」
と考えました。思いついたのがこの鼻の穴です（笑）。
ほら，穴が２つあるでしょう。それで，鼻の穴から鼻
血が出てくる場面を想像してみたのです。すると，鼻
血はぽたぽた出てきました。もしもドバーッと出てき
たら大変じゃないですか。だから，僕は，ジュースだっ
て穴からぽたぽた…と出てくると予想しました。

「ゲラゲラゲラ……」教室中が笑いでいっぱいになりました。このよ
うにリラックス状態で討論が進む中，ついに〈博士〉こと湯川君が真面
目顔で意見発表してきたのでした（やっぱり博士の登場だぁ〜！）。

　湯川君の予想はアでした。

　湯川君，今回はわざわざ前に出てきて，黒板に〈醤油さしの絵〉を描
いて，よりわかりやすい説明をしようと試みます。

湯川君（ア）　醤油さしには，このように右と左に穴が
２つあいています。こっちの穴から空気が入れば，そ
の入った分だけ，こっち（反対）の穴か
ら醤油が出てくるんです。勢いよくね。
　それは，このジュースの缶だって同じ
ことです。缶に穴が２つあいていて，１
つの穴から空気が入って，もう１つの穴
からはその分だけジュースが出てくるん
です。だから，これはアなのです！

（あ〜，すばらしい説明だなー。これだとイメージしやすいし，とても説得力があるなー！）
（僕が説明するとしても同じようなものだなー……）
（今度こそ，湯川君が予想するアへの変更者が現れてもいいよなー……さて，どうかな？）

　僕はワクワクした気持ちで学生たちの反応を待ったのでした。ところがです。なんと最後まで予想アへの変更者は現れなかったのです。
　（へぇ〜，これって，やっぱりオモシロイことかもー！）

●〈実験〉による納得

　仮に教師の僕が，先の湯川君とまったく同じことを言って，「缶の中のジュースが勢いよく出てくる」ことの解説をしたらどうでしょう。
　子どもたちの中には，「先生が解説していることなのだから正しいことに決まっている」と無理やり自分を納得させてしまう子が出てきてしまうんじゃないでしょうか。子どもたちによる忖度（そんたく）ってやつでしょうか。それは，結果的に教師が権威でもって子どもたちに〈押しつけ〉をしているということになります。これは恐ろしいことです。
　その点，仮説実験授業では，討論の途中で「どれが正しい」とか「それは違います」ということは，教師は決して言いません。子どもたちの議論を正しい方へ導くということもしません。そこが，フツーの授業と決定的に違うところです。どの考え（仮説）が正しいのかどうかは，〈実験の結果〉ではじめて見えてくるのです。しかも，その〈結果〉で見えてくる以上の解釈も，教師は一切しないのです。

　さて，いよいよ実験の瞬間を迎えました。田原先生がみんなに見えるようにジュースの缶を傾けました。すると，ジュースが勢いよくコップに流れ出てきました。

　「おーっ，すごい，すごい！　勢いよく出てる！」

　「おもしろーい！」「やっぱりね！」‥‥‥‥‥

　学生たちはニコニコ，たのしそうに眺めています。

　次に田原先生は，透明なコップのような瓶（「ワンカップ大関」の空き瓶）を使って，〔問題7〕〔問題8〕とまったく同じ実験をしてみせてくれました。

　「どーお？　これだと缶の中の空気と水の動きがよーくわかるでしょう！」

　「あーっ，ほんとだー！　すごい！」

　「（上の穴から）ポコポコ空気が入ってる……。（下の穴から）水が出てる！」「おもしろーい！」「博士が言ってた通りだー！」

　「あっはっはっ」（ニコニコニコ……）

　学生たちのほとんどが「あーっ，これでスッキリしたー！」というような顔をしていました。

●押しつけの排除

　いかがですか，学生たちによる授業書《空気と水》の模擬授業。教師の僕にとってもたのしいだけでなく，学ぶこといーっぱいの授業でした。学生たちの感想文を紹介しましょう。

　　学生の感想──

　　・今日の授業は「空気が入らないと水は出てこない」ということを考える内容でした。みんなの討論がすごかったです。湯川君は相変わらず〈博

士〉みたいでしたが（笑）。湯川君に負けないくらいの意見が他の人からもたくさん出て，すごくたのしかったです。教材の内容とその与え方によってこんなにワクワクする授業になるんだなーと思いました。私は教員ではなく，教育関係の出版社をめざしています。教材のつくり方についてもっと考えていきたいです。（高田さん）

次は，「豆乳の例」を持ち出していた仲代さんの感想文です。

・はじめ湯川君の言っていることがよくわからなかったのですが（湯川君，ごめんなさい），でも実験の結果を知って，よーくわかりました。私の家の豆乳がなぜぱたぱたと出るのか，今日家に帰って調べてみます。それから，今日の模擬授業をした2人はとても上手でした。同い年なのにすごいなーと思いました。小原先生の授業と同じくらいたのしい授業でした。私も模擬授業，やってみたくなりました。（仲代さん）

さぁー，あの〈博士〉こと湯川君の感想文はどんなものだったでしょう。

・今日は最初〔問題7〕から本気で正解をねらい自分の考えを発表したが，正直100％の自信はなかった。とりあえず正解したが，次の〔問題8〕の予想の時は100％自信があって，「僕の考えでみんなの予想が正解に偏るのではないか」と心配したが，全然そうではなく，とても複雑な気持ちになった（笑）。最後に田原先生が透明な缶で実験をして，僕の説を証明してくれたのでうれしかった。今後も授業の流れをくずさない程度で，大胆に発言していきたいと思う。（湯川君）

最後に，この一連の授業運営について，実にわかりやすい解説文があるので，これを紹介してオシマイにします。

*

〔前略〕先生が誘導尋問して実験前に正しい答えをもっていくことはしてはいけないのです。間違えるのも楽しいんだから，間違えさせるんです。それで，実験したら「あ〜！」ってなるでしょ。教師はつべこべ言わない方がいいんです。後で実験をすれば分かることなのに，実験の前に教師がつべこべ言うと，実験の結果で納得するのではなしに，教師に押しつけられて知ることになってしまいます。

　科学というものは，「考えるとか空想とか予想をもとにして実験して，だんだんと法則をつかめてくる」というものです。一つの事実だけだと何もおぼえていけないから，次々と一連の問題をやる。そうすると，「こういうことか」と分かってきて，〔未知の問題にもずばり正しい予想が立てられるようになる。つまり〕バカの一つ覚えができるようになる。そこまでもっていくためには，問題の系列を選ばなけりゃならない。問題の系列を選ぶと，どこのクラスでもうまくいく。そういう問題の系列をまとめたのが《授業書》というものです。だから，仮説実験授業をやるときはこの《授業書》のとおりやればいいようになっています。（板倉聖宣「科学的に考える力を育てるには」『仮説実験授業の考え方』，仮説社，1996 年，61 ペ）

あとがき

　こんな「教育の本」って，見たことないかもしれませんね。今までの常識とはずいぶん違うことが書いてあったので，驚いた人が多いかもしれません。でも，どうでしょう。少なくとも，授業の進め方や考え方について，ちょっぴり自信と希望が湧いてきたのではありませんか。そうであったら，とてもうれしいです。

　ところで，この本の元になっている『たのしい授業のすすめ方 ～オバラシゲミの理科教育法』（私家版，風の子書房）は，明星大学の理科教育法のテキストとして 10 年以上も使われていたものです。

　ありがたいことに，このテキストを使った授業は〈未来の先生たち（教育学部の学生たち）〉に毎年好評で，著者である僕以外にも，これまで 6 名の先生方がこのテキストを講義に使用し，いずれの授業でも，学生たちから「たのしくて役に立った」という評価をもらっています。

　さらにうれしいことに，学生たちは理科以外の模擬授業や教育実習のときにも，このテキストを片手に〈たのしい授業〉をめざして頑張ってくれているようです。

　このように未来の先生たちに歓迎してもらえているというのは，すごくうれしいことです。

＊

　そしてまた，2009 年から始まった「教員免許状更新講習」でもこのテキストの一部を使った授業を続けているのですが，受講している現役の先生方（30 ～ 50 代）に高い評価をいただいています。

このことは，僕にとってさらに大きな自信になりました。

　そこで，「このテキストを，明星大学のワクを超えてもっと広く多くの方（未来の先生たち，現役の先生たち，教員養成に関わる大学の先生方など）に読んでもらってもいいんじゃないか。きっとお役に立てるのではないか」と思うようになりました。

　そんなふうに思っていたときに，仮説社の伊丹 淳さんが，「授業書での成功体験が授業者に与えた影響や，授業者自身が自分たちの個性の問題をどう捉えたかなどの報告を盛り込んで，大学での 20 年間の〈教育実験〉の成果を示すものにしましょう」と僕の背中を押してくれ，今回の単行本のかたちにまとまったのでした。

＊

　この本では〈たのしい授業〉の内容とそのすすめ方について紹介してきましたが，さらに「たのしい授業の考え方」「たのしい授業の成立条件」などについて深く学びたくなった方には，僕が書いた『未来の先生たちへ 〜オバラシゲミの教職講座』（仮説社）をオススメします。

　なお，この本では〈たのしい授業〉の典型として「仮説実験授業」を紹介してきましたが，「仮説実験授業についてもっと知りたい」「仮説実験授業をやってみたい」と思われた人には，板倉聖宣『仮説実験授業のABC』（仮説社）をおススメします。仮説実験授業の創始者である板倉聖宣さんによる「仮説実験授業の運営法」「仮説実験授業の発想と理論」など，読み応えのある文章のほか，授業書の一覧や解説もあります（授業書は仮説社のホームページで販売されていて，誰でも買うことができます）。

　また，どんなふうにするとワクワクドキドキのたのしい教師生活を送ることができるかについては，明星大学の教え子である高野 圭さんの『たのしく教師デビュー』や，僕の『たのしい教師入門 〜僕と子どもた

ちのスバラシサ発見』（ともに仮説社）を読んでみてください。あなたの
明るい未来を拓くヒントになると思います。

　なお，僕のささやかなアフターサービスとして，直接の個人相談を受
け付けます。悩みや相談事，あるいは「うれしいこと」「感想文」など
ありましたら，遠慮なく，次のアドレスにお便りください。また，毎月
第3土曜日に「たのしい教師入門サークル」（東京・昭島市公民館。参加
の際は要事前連絡）を開催してますので，直接会いに来てもらうのも大
歓迎です。待ってまーす！

Mail：obarabao5@r.tulip.sannet.ne.jp

＊

　ところで，僕は2021年の3月で45年間の教職生活（中学・大学教師）
を定年退職する予定です。つい最近，このことを学生たちにお知らせし
たら，ある女子大生に，「どうしてそんなに長〜い間，先生を続けてこ
れたのですか？」という質問をされました。

　そのとき，僕は「そうだよな〜，今までも60歳，65歳と2度も定年
退職の機会があったのに，さらに続けて70歳の今まで教師を続けてき
たんだものな〜！」としみじみ思いました。

　「う〜ん，それはどうして？」

　「それはたのしかったからこそ続けられたのだよ！」

　このときに僕の脳裏に浮かんだ光景は，「子どもたちや学生たちとた
のしそうに授業をする僕の姿」「子どもたちや学生たちに書いてもらっ
た授業感想文を読んでうれしくて泣きそうになっている僕の姿」だった
のです。

　——そうか〜，教師の仕事の基本はやっぱり授業なんだ〜！

　そんなことを改めて思い至ったのでした。

僕は，〈未来の先生たち〉であるみなさんに，心から次のような"エール"を送りたいのです。

"子どもたちはみんな「たのしい授業」を待っています！　それを届けられる先生は超シアワセな先生ですよ。子どもたちの笑顔にいっぱい出会えますからね。あなたもそんな先生になってくださいね！"

＊

もし，よかったらみなさんの近くに〈教職をめざす若者〉や，教職の道をすでに歩み始めているのだけれど「授業がうまくできない」などと〈もどかしそうにしている現職の先生〉がいたら，この本をおススメしていただけないでしょうか。

日本中（いや世界中）の学校に，授業をたのしむ子どもたちと先生たちの笑顔・笑顔……がいっぱい溢れるといいですもんね。

―― 2021.2　小原茂巳

〔謝辞〕この本の元版を大学のテキストとして利用し，貴重な意見を寄せてくださったのは石塚 進さん，山路敏英さん，板倉正典さん，小川 洋さん，田辺守男さん，佐竹重泰さんです。また，仮説社の伊丹 淳さんと竹内三郎さんにはこの本の構成から文章の隅々に至るまで親身なアドバイスをいただきました。すごくかわいいイラストを添えてくださったのは，イラストレーターのいぐちちほさん，サタテユラさんです。最後になりましたが心からお礼申し上げます。

初出一覧

＊本書は，明星大学教育学部の「初等理科教育法」のテキスト『「たのしい授業」のすすめ方 ～オバラシゲミの理科教育法』（2011，小原茂巳，風の子書房）を底本に，『たのしい授業』（仮説社）に掲載された下記原稿を加えて再編集したものです。

第2章

③「大学生の涙」（『たのしい授業』2011年3月号／No.376）

④「授業書が切り開く教師の明るい未来」（『たのしい授業』2010年3月号／No.362，原題「自らの変革の機会を与える仮説実験授業──人前に立つのが苦手な野口さんの模擬授業）

⑤「教師の個性と授業書」（『たのしい授業』2013年4月号／No.405）

第3章

①「〈実験〉ってな～に？」（『たのしい授業』2011年10月号／No.384，原題「〈実験〉ってな～に？──小・中学校で実験を増やせば〈理科嫌い〉は減るのかな）

②「人の認識を変えるのは〈権威〉か〈実験〉か」（『たのしい授業』2017年10月号／No.468，原題「正しいことを言っているのに？──人の認識を変えるのは〈権威〉か〈実験〉か」）

―――――― 著者紹介 ――――――

小原茂巳
（おばら しげみ）

1950 年　宮城県生まれ。5 人兄弟の末っ子。
1974 年　中央大学理工学部卒業。
1975 年　綾瀬中学校をふりだしに，東京都内の中学校で理科教師として勤務。
2001 年　中学校教師のかたわら，明星大学で非常勤講師も兼務。
2010 年　明星大学 教育学部 教育学科 特任准教授
2016 年　明星大学 教育学部 教育学科 客員准教授
2017 年　明星大学 教育学部 教育学科 常勤教授

　　教師になったいきさつは，『未来の先生たちへ』（2007 年，仮説社）所収の「情けないやつ
が〈先生〉になった」に詳しい。大学生のときに仮説実験授業を知り，「知識がなくても，子
どもたちによろこんでもらえる授業ができそうだ」と感激。実際にやってみて予想以上の反応
におどろき，以後，ひたすら科学の授業・仮説実験授業を続けてきた。「科学の授業はすべて
の子どもたちが歓迎する」ことを証明するよう，さまざまなケースについてのたのしい授業記
録・論文を，主に月刊『たのしい授業』に発表し続けている。仮説実験授業研究会会員。2020
年度より仮説実験授業研究会代表。

〔著書〕
　　単著に『未来の先生たちへ』（2007），『いじめられるということ』（2014），『たのしい教師入門』
（1994），『授業を楽しむ子どもたち』（1982），共著に『板倉聖宣の考え方』（2018），『あきらめの
教育学』（2014），『よくある学級のトラブル解決法』（2011）（以上，発行元はすべて仮説社）など。

〈たのしい授業〉のすすめ方

実況★オバラシゲミの仮説実験授業入門

初版発行　2021年3月8日（1000部発行）
2刷発行　2022年11月15日（1000部発行）

本書掲載の授業書は，仮説実験授業研究会の転載承認を受けたものです。

著者　小原茂巳　　©Obara Shigemi 2021

発行　株式会社　仮説社

〒170-0002　東京都豊島区巣鴨1-14-5　第一松岡ビル3F
Tel. 03-6902-2121　Fax. 03-6902-2125
E-mail：mail@kasetu.co.jp　URL=https://www.kasetu.co.jp/

装丁　いぐちちほ

本文イラスト　いぐちちほ，サタテユラ

印刷　株式会社平河工業社

用紙　カバー：モンテルキア菊T77.5kg ／表紙：しらおい菊T125kg
　　　見返し：色上質（若竹）AT厚口／本文：淡クリーム金毬四六Y72.5kg

ISBN 978-4-7735-0308-1 C0037　　　printed in Japan

仮説社発行の本

仮説実験授業の ABC 第5版

板倉聖宣 著　いつもそばに置いておきたい基本の一冊。仮説実験授業の基本的な発想と理論，授業運営法，評価論，そして授業書の内容紹介と入手法まで。さらに，初めて授業する人のための親切なガイド・藤森行人「授業の進め方入門」も収録。

ISBN978-4-7735-0229-9　C0037

A 5 判 176 ペ〔初版 1977 年，改訂第 5 版 2011 年〕　　本体 1800 円

仮説実験授業 授業書〈ばねと力〉によるその具体化

板倉聖宣 著　教育改造の理論としての仮説実験授業。そのあらゆる側面について，もっとも具体的かつ徹底的に論じ，教育研究を「実験科学」として確立した労作。授業書〈ばねと力〉の全文と「教育観テスト」も掲載。

ISBN978-4-7735-0003-5　C0037

B 6 判 285 ペ〔初版 1974 年〕　　　　　　　　　本体 2500 円

たのしい授業の思想

板倉聖宣 著　〈たのしい授業〉の思想を理解するために最も基本となる事柄が解説された必読の論文集。「第 1 部 たのしい授業の思想」「第 2 部 授業書とは何か」「第 3 部 たのしい授業の展開」「第 4 部 教材の考え方」。

ISBN978-4-7735-0078-3　C0037

B 6 判 346 ペ〔初版 1988 年〕　　　　　　　　　本体 2000 円

板倉聖宣の考え方 授業・科学・人生

板倉聖宣・犬塚清和・小原茂巳 著　板倉聖宣さんの著書や講演記録から，ルネサンス高校グループ名誉校長の犬塚清和さんが 30 のテーマを厳選して紹介。それぞれのテーマについて，犬塚さんと小原茂巳さん（明星大学常勤）が分かりやすく解説を添えています。

ISBN978-4-7735-0288-4　C0037

四六判 197 ペ〔初版 2018 年〕　　　　　　　　　本体 1800 円

未来の先生たちへ オバラシゲミの教職講座

小原茂巳 著　大学で教師を目指す学生に向けて行われた大人気の講義録。「たのしく教師を続けるための基本」が具体的かつ分かりやすく書かれています。これまでの「教育学」にあきあきしている人，そして「教育学」の研究・講義に携わる人にも。

ISBN978-4-7735-0204-6　C0037

B 6 判 204 ペ〔初版 2007 年〕　　　　　　　　　本体 1800 円

＊表示されているのは 2021 年 2 月現在の税別価格です

仮説社発行の本

たのしい教師入門　僕と子どもたちのスバラシサ発見

小原茂巳 著　子どもたちとイイ関係を結ぶには，子どもたちが喜んでくれること＝〈たのしい授業〉をするのが一番！ たのしい授業のための考え方をはじめ，家庭訪問や保護者会，三者面談で大人たちともイイ関係になれるお話など，すぐに役立つノウハウ満載‼

ISBN978-4-7735-0109-4　C0037

B 6 判 236 ペ〔初版 1994 年〕　　　　　　　　　**本体 1800 円**

授業を楽しむ子どもたち　生活指導なんて困っちゃうな

小原茂巳 著　授業通信「科学かわら版」の試み，科学の授業ベストテン，子どもの反乱と生活指導にまつわるお話など，子どもたちと楽しく付き合うためのノウハウが盛りだくさん。ツッパリ君も優等生も活躍する楽しい科学の授業の記録は迫力満点。

ISBN978-4-7735-0037-0　C0037

B 6 判 222 ペ〔初版 1982 年〕　　　　　　　　　**本体 2000 円**

いじめられるということ　やまねこブックレット教育①

小原茂巳 著　自身の「いじめ」体験と，いじめられていた子との関係から，学校でのいじめ問題を考え直す。子どもと教師がいい関係なら，「いじめ」は陰湿にならない。では「いい関係」をつくるには？　教師の立場からのユニークな「いじめ」対策も提案。

ISBN978-4-7735-0254-1 C0337

A 5 判 75 ペ〔初版 2014 年〕　　　　　　　　　**本体 800 円**

あきらめの教育学　やまねこブックレット教育②

板倉聖宣・小原茂巳・中 一夫 編　『たのしい授業』掲載時に大きな反響があった「座談会あきらめの教育学」を中心に，「あきらめ」をめぐる文章を収録。〈あきらめていいこと〉と〈あきらめてはいけないこと〉の視点から，教育を捉え直す！

ISBN 978-4-7735-0256-5　C0337

A 5 判 80 ペ〔初版 2014 年〕　　　　　　　　　**本体 800 円**

よくある学級のトラブル解決法

小原茂巳・山路敏英・伴野太一・小川 洋・佐竹重泰・田辺守男 著　「いじめ／不登校」「仲間はずれ」「保護者からの苦情」「崩壊学級」の 4 つの事例から，トラブル解決の手順と考え方を明らかにします。具体的だから応用できる！

ISBN978-4-7735-0228-2　C0037

B 6 判 160 ペ〔初版 2011 年〕　　　　　　　　　**本体 1300 円**

＊表示されているのは 2021 年 2 月現在の税別価格です

仮説社発行の本

たのしく教師デビュー
通信教育で教員免許を取得し
営業マンから高校教師になったボクの話

高野 圭 著　通信教育で教員免許を取得し，営業マンから高校理科教師に転身した著者。明星大学で教わった〈仮説実験授業〉の効果で，教師1年目なのに生徒からは大人気！ 羨ましくなるエピソード満載の〈たのしい教師生活〉の様子をお届けします。
ISBN978-4-7735-0287-9　C0037
四六判 223 ペ〔初版 2018 年〕　　　　　　　　　**本体 1800 円**

空 見上げて　「新人育成教員」日記

小川 洋 著　「新人育成教員」になった筆者は，新人先生のさまざまな疑問や悩みにどう答えるのか？ 迷いつつ悩みつつ歩んだ1年の記録には，知恵とユーモアがいっぱい。全ての新人教員と，それを指導する立場の人々に読んで欲しい，読めば元気が出る1冊。
ISBN978-4-7735-0262-6　C0037
四六判 240 ペ〔初版 2015 年〕　　　　　　　　　**本体 1600 円**

理科教育法入門　科学のたのしさ伝えたい

山路敏英 著　長年，中学の理科教師を務め，定年後は明星大学で「理科教育法」を教える著者が，〈教師として科学を教える喜び〉を知った自身の経験をもとに，たのしく理科教師を続けるための具体的な手立てをレクチャーします。
ISBN978-4-7735-0267-1　C0037
四六判 175 ペ〔初版 2016 年〕　　　　　　　　　**本体 1400 円**

マネしたくなる学級担任の定番メニュー

「たのしい授業」編集委員会 編　学級開きの自己紹介や，教室にほんわかとした雰囲気が生まれるゲーム，手軽に作れる学級通信やおたより文例のほか，保護者会・懇親会をなごやかに進めるためのメニューなど，マネするだけで喜ばれる「定番メニュー」をご紹介！
ISBN978-4-7735-0280-0　C0037
B 6 判 255 ペ〔初版 2017 年〕　　　　　　　　　**本体 1900 円**

これで安心！ 新学期の定番メニュー

「たのしい授業」編集委員会 編　多忙な新学期を乗り切るための安心メニューをご紹介。授業開きのアイデアから，教室の掲示物や学級通信の作例のほか，家庭訪問や保護者会の工夫や授業参観向けプラン，そして年間を通して使えるお役立ちグッズの紹介まで。
ISBN978-4-7735-0300-5　C0037
B 6 判 272 ペ〔初版 2020 年〕　　　　　　　　　**本体 1900 円**

＊表示されているのは 2021 年 2 月現在の税別価格です

仮説社発行の本

学校現場かるた 学校の法則・生き抜く知恵

中 一夫 著　こどもや保護者との付き合い方，職員室の人間関係，そして自分との付き合い方……。今まで見えなかった学校現場を生き抜いていくための知恵・法則を〈かるた〉にまとめました。悩んだとき，パラパラめくると現状打開のヒントが見つかる！

ISBN978-4-7735-0232-9　C0037

四六判 142 ペ〔初版 2012 年〕　　　　　　　　　**本体 1600 円**

道徳大好き！ 子どもが喜ぶ道徳プラン集

「たのしい授業」編集委員会 編／中 一夫 監修　子どもたちが「自分だったらどうするだろう…」と考えたくなるような問題をテーマにした授業プラン 14 編を収録。学習指導要領の内容項目にも関連しているので，教科書の教材と入れ替えても利用できます。

ISBN978-4-7735-0294-7　C0037

B 6 判 304 ペ〔初版 2019 年〕　　　　　　　　　**本体 2000 円**

生きる知恵が身に付く道徳プラン集

「たのしい授業」編集委員会 編／中 一夫 監修　他の人と気持よく過ごすために知っていると役に立つ知識＝「生きる知恵」が学べる道徳プラン集。おねしょ，班決め，あいさつの意味，そしていじめのプランなど，役立つこと間違いなしのテーマが目白押しです！

ISBN978-4-7735-0266-4　C0037

B 6 判 302 ペ〔初版 2016 年〕　　　　　　　　　**本体 1800 円**

特別支援教育はたのしい授業で

山本俊樹・藤沢千之編 著　障害児教育（特別支援教育）にも〈たのしい授業〉の考え方を持ち込み，新時代を開く！ 子どもたちに喜ばれた〈たのしさ実証済みの授業プラン〉と，その授業の考え方，すすめ方，応用の仕方までフォローした一冊。

ISBN978-4-7735-0293-0　C0037

四六判 178 ペ〔初版 2012 年〕　　　　　　　　　**本体 1600 円**

新版 科学的とはどういうことか いたずら博士の科学教室

板倉聖宣 著　「砂糖水に卵は浮くか」「鉄 1 kg とわた 1 kg ではどちらが重い？」など，誰でも考えてしまうような問題と手軽に確かめられる実験を通して，〈科学とは何か〉〈科学的に考え行動するとはどういうことか〉が実感できるロングセラーの新版。

ISBN978-4-7735-0292-3　C0040

四六判 264 頁〔初版 2018 年〕　　　　　　　　　**本体 1800 円**

＊表示されているのは 2021 年 2 月現在の税別価格です

仮説社発行の本

原子論の歴史 　誕生・勝利・追放

板倉聖宣 著　　古代ギリシアで誕生した「原子論」は，広く古代の人々にも受け入れられていた。ところが，キリスト教の台頭によって「原子論＝無神論」は追放されてしまう…。原子論についての通説を覆し，ワクワクしながら読める，画期的な科学と哲学の歴史。

ISBN978-4-7735-0177-3　C0040

四六判上製 254 ペ〔初版 2004 年〕　　　　　　　　　　　**本体 1800 円**

原子論の歴史 　復活・確立

板倉聖宣 著　　中世にキリスト教によって追放された古代原子論は，ルネサンスによって再発見され，「神」との共存を模索する人も。その後の「原子仮説」は最重要の科学知識として確立し，科学研究をリードすることになる。巻末に原子論の歴史の詳細な年表を付す。

ISBN978-4-7735-0178-0　C0040

四六判上製 205 ペ〔初版 2004 年〕　　　　　　　　　　　**本体 1800 円**

科学者伝記小事典 　科学の基礎をきずいた人びと

板倉聖宣 著　　古代ギリシアから 1800 年代までに生まれた大科学者約 80 人の伝記。彼らはなぜ「大科学者」と呼ばれるのか，その経歴，研究内容や時代背景を記す。「科学の発達史」としても通読できる画期的な事典。「科学者分類索引」や科学者の関係地図・参考文献も。

ISBN978-4-7735-0149-0　C0040

Ｂ６判 230 ペ〔初版 2000 年，2009 年改訂〕　　　　　　**本体 1900 円**

科学はどのようにしてつくられてきたか 　オンデマンド版

板倉聖宣 著　　今日の普通の日本人が持っている科学知識，自然観・科学観はどのようにして形成されてきたのか。本書の主役は西洋の大科学者ではなく，日本のごくふつうの人々＝「庶民」。庶民の常識と科学の関係を掘り起こした日本人のための科学史。

＊三省堂オンデマンド，Amazon オンデマンドで販売

Ａ５判 264 ペ〔初版 1984 年〕　　　　　　　　　　　　**本体 2400 円**

科学と科学教育の源流 　いたずら博士の科学史学入門

板倉聖宣 著　　科学教育がはじまる前，人びとはどのように科学知識を学び取っていたか？ 近代科学発祥の地・ヨーロッパを舞台に，科学がどんな人々によって，どのように生まれ育てられてきたかを見る。新発見に満ちた科学史の本。

ISBN978-4-7735-0271-8　C0040

Ｂ６判 300 ペ〔初版 2000 年〕　　　　　　　　　　　　**本体 3000 円**

＊表示されているのは 2021 年 2 月現在の税別価格です